David Walliams

AS PIORES CRIANÇAS DO MUNDO

Ilustrado a cores por Tony Ross

Tradução de Rita Amaral

Porto Editora

DAVID WALLIAMS

TONY ROSS

Para
o Tom & o George
duas das Melhores
Crianças do Mundo
D. W.

Para
**a Wendy
& os Savannah**
T.R.

As piores crianças do mundo
David Walliams

Publicado em Portugal por: Porto Editora
Divisão Editorial Literária – Porto
Email: delporto@portoeditora.pt

Publicado originalmente por HarperCollins Publishers com o título *The world's worst children*
Texto: © David Walliams 2016 | Ilustrações: © Tony Ross 2016 | Design do nome do autor: © Quentin Blake 2010
David Walliams e Tony Ross asseguram o direito moral de serem identificados como
autor e ilustrador desta obra, respetivamente.

1.ª edição: outubro de 2017
Reimpresso em novembro de 2022   DEP LEGAL 424953/17   ISBN 978-972-0-04940-7
Execução gráfica **Bloco Gráfico**   IMPRESSO EM HONG KONG

OBRIGADOS

 Gostaria de agradecer a...

Tony Ross, ilustrador – que, aos 6 anos de idade, encheu uma lata com girinos, deixou-a no quarto da avó e esqueceu-se dela... Até que, várias semanas mais tarde, lembrou-se de o ter feito, ao ouvir os gritos da avó que viu dezenas de sapos a saltarem em cima da sua cama!

 Ann-Janine Murtagh, a minha editora – que, quando era pequenina, se recusava a ir dormir a menos que todos os seis irmãos e irmãs mais velhos lhe lessem uma história – o que frequentemente fazia com que a hora de dormir passasse da meia-noite!

Charlie Redmayne, diretor executivo – que culpou a irmã mais nova por roubar um pacote de gelatina da cozinha, quando, na verdade, tinha sido ele a roubá-lo. Nunca admitiu a verdade – até agora.

Paul Stevens, o meu agente literário – que, em miúdo, cortou um buraco no melhor casaco do pai.

Ruth Alltimes, a minha editora – que, aos 5 anos de idade, despejou uma caneca de sumo de laranja na cabeça da irmã mais nova.

 **Rachel Denwood**, diretora criativa e de edição – que, com 6 anos, decidiu averiguar quantas ervilhas conseguia enfiar pelo nariz acima.

 Sally Griffin, *designer* – que, aos 7 anos, apanhou TODOS os narcisos do jardim da mãe, para vender na sua "loja de flores."

Anna Lubecka, *designer* – que, em criança, cortou o cabelo todo com uma tesoura de cortar as unhas.

Nia Roberts, diretora artística – que, aos 6 anos, pintou as fotografias de casamento dos pais com verniz das unhas vermelho.

Kate Clarke, *designer* de capa – que, em pequena, cortou em pedaços o cachecol preferido (e mais caro) da mãe, para o usar numa colagem que estava a fazer.

Geraldine Stroud, diretora de relações públicas – que, em pequenina, misturou os conteúdos do toucador da mãe, transformando-os numa papa perfumada em forma de bolo, espalhando-a depois por toda a casa.

Sam White, responsável pela publicidade – que, em criança, fez xixi na cama da mãe e não lhe disse.

Nicola Way, diretora de marketing – que, aos 5 anos, raptou o irmão mais novo e o cão e a seguir desapareceu durante uma hora inteira!

Alison Ruane, diretora de marca – que, aos 10 anos, costumava fazer *scones* de piripiri que obrigava os irmãos mais novos a comer.

Georgia Monroe, coordenadora editorial – que, em pequenina, espalhou por todo o quarto pomada para rabinhos de bebés quando era suposto estar a fazer uma sesta!

Tanya Brennand-Roper, minha editora de áudio – que, em criança, recolheu minhocas do jardim e deixou-as na cozinha para ver a mãe aos gritos!

David Walliams

INTRODUÇÃO

Por Raj, o lojista.

Por favor, por favor, por favor,
mil por favores e mais um por favor,

NÃO LEIAS ESTE LIVRO!

Se já o compraste, destrói-o. Se lhe estás a dar uma vista de olhos na tua *vivlioteca* local, leva-o lá para fora, rasga-o, calca-o, rasga-o novamente (pelo sim, pelo não) e depois enterra os bocadinhos bem FUNDO no chão. Só para jogar pelo seguro.

Este livro HORRÍVEL (sim, é muito horrível), e especialmente a *soletrassão*, vai ser uma péssima influência para mentes jovens. Vai dar imensas e imensas ideias às crianças sobre como se portarem ainda pior do que já se portam, e algumas portam-se EXTREMAMENTE mal. Este livro é um ultraje e eu vou pedir que seja banido. O **Sr. Wally-wally** (ou como quer que seja o nome estúpido que ele inventou) devia ter vergonha.

Porque é que esse grande PALHAÇO, que parece um gorila de fato, não pode escrever um livro bonito sobre crianças boazinhas que fazem coisas boas? Porque não escrever uma história sobre uma menina que é simpática com um gatinho? Ou um conto sobre um rapaz querido que ajuda uma borboleta ferida a atravessar uma rua congestionada? Ou uma história sobre duas crianças que vão a um prado apanhar flores selvagens para a mamã delas que está muito doente com uma ligeira dor de cabeça?

Poderia chamar-se
AS CRIANÇAS MAIS QUERIDAS, SIMPÁTICAS, BOAS E GENTIS DE TODO O MUNDO.
Mas não.

Em vez disso, temos uma CATREFADA de histórias sobre crianças cujos rabiosques não param de dar puns, crianças que ensinam as suas lêndeas a fazerem coisas terríveis e crianças que não param de meter o dedo no nariz até tirarem de lá a maior catota do mundo.

Eu NUNCA deixaria este tipo de crianças entrarem na minha loja – a qual, tenho muito orgulho em anunciar, foi votada a melhor loja de conveniência das redondezas.*

* A "loja do Raj" é, atualmente, a única loja de conveniência das redondezas. Dito isto, a minha loja ficou em segundo lugar num prémio para lojas de conveniência. Uma lavandaria apanhou o primeiríssimo lugar.

Eu nunca deixaria as ATERRADORAS crianças deste livro tirarem partido das incríveis ofertas especiais da minha loja, tais como **103 chocolates pelo preço de 102 ou compra o equivalente ao teu peso em rebuçados de mentol, e tens um grátis. Despachem-se para o stock não esgotar!****

** Na verdade, tenho bastante stock, e já passou do prazo, por isso não é preciso correrem. Basta andarem rápido.

O pior de tudo é que eu quase não apareço neste livro. É um insulto! Eu sou, de longe, a personagem mais inteligente e bonita que alguma vez saiu da mente negra e perturbada do **Sr. Wallywilly**! Ainda assim, apenas me pediram uma contribuição para a introdução e recebi indicações específicas de que não poderia passar das duas páginas. Duas páginas!

Como se atreve o **Sr. Willywillywally?** Certamente que eu, o

GRANDE RAJ DA LOJA DO RAJ

ÍNDICE

BÉ Chulé

JONAS Lança-bolas

ROSA Ventosa

BETO Correto

SOFIA Sofá

JOÃO
Babão

CASCATA DE BABA

POÇA DE BABA

SAPATOS E MEIAS ENSOPADAS
DA POÇA DE BABA

JOÃO
Babão

ERA UMA VEZ um rapaz chamado João.

O João babava-se muito. Não era o babar normal do dia a dia ou esse ocasional **fio de cuspo** peganhento que costuma escorrer pelo queixo abaixo. Ai, não, não, isto era baba a uma ESCALA INDUSTRIAL. Este era um rapaz que conseguia produzir litros e litros de baba por dia.

Podes ter curiosidade em saber por que razão o **João Babão** se babava tanto. Bem, é que ele era um miúdo incrivelmente preguiçoso. Se pudesse, dormia **24 horas por dia, sete dias por semana, 365 dias por ano.**

E enquanto dormia, babava-se.

"ZZZZZzz."

pOC!

fazia a baba ao cair no chão.

"ZZZZZZzzzz."

POC!

Nas manhãs em que havia escola, João tinha de ser arrancado da cama pelos pés. Por sua vontade, João seria empurrado para a escola, dentro da cama, todas as manhãs. E assim que chegasse à escola, voltaria novamente a adormecer.

"ZZZZZzz."

pOC!

"ZZZZZZZZZZZzzzz."

pOC!

Não havia nada de que João gostasse mais do que tirar uma soneca durante as aulas. Até já tinha havido dias em que levara um saco-cama para a escola. Assim, podia dormir durante todas as disciplinas.

Era difícil dormir na aula de Educação Física, mas João descobrira uma forma de o fazer. Por exemplo, durante os jogos de futebol, pedia para ser guarda-redes e depois subia à baliza e dormia uma soneca. Se algum dos miúdos marcasse golo e celebrasse muito alto, ele resmungava por o **terem acordado.**

Por dormir em todas as aulas, João tinha sempre as notas mais **baixas** da turma.

Quando João adormecia nas aulas, **babava-se** por cima da secretária.

"ZZZZZZz."

POC!

"ZZZZZZZZZZZzzz."

POC!

"ZZZZZZZZZZZZZZZZZZzzzz."

POC!

A **baba** costumava e s c o r r e r para o chão, acumulando-se numa grande poça. Se estivesse na TEMIDA aula de duas horas de História, a baba acumulava-se até parecer uma piscina.

Ninguém sabia exatamente quais eram os componentes da baba de João. Ela era transparente como água, mas **espessa** e **peganhenta** como cola.

Certo dia, a professora de História, a Professora Passado, aproximou-se da secretária de João para lhe ralhar por ele ter voltado a adormecer. A pobre senhora **escorregou** na **baba**, saiu disparada pelo chão e voou para fora da janela. "AAARRRGGGHH!"

Foi encontrada de pernas para o ar, enfiada numa sebe, com a saia em *tweed* por cima da cabeça e as ENORMES ceroulas aos folhos a esvoaçar.

No dia em que a nossa história começa, houve uma visita de estudo ao

· MUSEU DE HISTÓRIA NATURAL ·

Era um local fantástico, cheio de tesouros, como rochas lunares ou esqueletos de dinossauros. O museu até tinha uma réplica em tamanho real de uma baleia-azul.

Ao chegarem ao museu, saídos da camioneta da escola, o professor de Ciências, o **Professor Secante**, entregou aos alunos as temidas fichas de trabalho.

– Ouçam com atenção. Quero que anotem nestas fichas de trabalho todas as exposições que virem hoje no museu!

– É obrigatório, professor? – queixou-se João Babão, reprimindo um bocejo. Ter adormecido na camioneta durante uma hora tinha-o deixado muito cansado e agora estava pronto para ir direitinho para a cama. Já tinha uma poça de baba acumulada a seus pés.

– Sim, João, é obrigatório! – gritou o professor. – E não quero que adormeças nesta visita de estudo! – O Professor Secante virou-se para o resto da turma. – E agora, ouçam, o aluno que apontar o maior número de exposições fica com a MELHOR nota da turma. Por isso, olhos e ouvidos bem abertos durante toda a visita. Certo, agora todos lá para fora!

Ao entrarem pelas enormes portas em madeira do museu, as crianças ficaram maravilhadas com o gigantesco esqueleto de um **diplodoco**, colocado no lugar de maior destaque, logo à entrada. João limitou-se a B O C E J A R.

Depois, afastou-se da turma e do professor e encontrou um sítio calmo para fazer uma soneca – em cima de uma vitrina em vidro que continha um dodó embalsamado, um animal extinto há séculos. Ninguém o iria perturbar ali.

João trepou por uma **girafa embalsamada** usando-a como escada.

Deitou-se e fechou os olhos. Depois, dormiu e dormiu e dormiu.

E **babou-se** e **babou-se** e **babou-se**.

JOÃO BABÃO

O rapaz conseguia dormir em qualquer sítio.

Conseguia dormir de pé durante um concerto

de rock, pendurado de uma árvore com as

PERNAS PARA O AR e até numa

montanha russa com toda a gente a gritar à volta dele.

Neste dia em concreto, João dormiu durante

tanto tempo que continuava a dormir quando o

• MUSEU DE HISTÓRIA NATURAL • fechou. Sem que alguém

se tivesse apercebido, João continuou lá dentro quando as luzes

foram desligadas.

E dormiu durante toda a noite, e enquanto dormia, **babava-se**.

"ZZZZZZZZZZZZZ".

POC!

"ZZZZZZZZZZZZZZZZZZZZZZZZ".

POC!

"ZZZZZZZZZZZZZZZzzzzzzzzzz".

POC!

João **babou-se** e **babou-se** e **babou-se**.

Depois, **babou-se** mais um bocadinho. A mancha de baba debaixo dele transformou-se numa poça de baba. Pouco tempo depois, era um lago de cuspo. De madrugada, o mar de **baba** do João tinha inundado o enorme • MUSEU DE HISTÓRIA NATURAL •

De manhã, Winston, o segurança encorpado, chegou cedo para destrancar as portas e abrir o museu, tal como fazia todos os dias. Contudo, este não era um dia normal. A primeira coisa que Winston notou foi um líquido transparente a escorrer por debaixo das portas.

– Isto é muito estranho – pensou ele em voz alta. – Talvez um dos velhos professores patetas tenha deixado uma torneira aberta.

De seguida, o segurança pôs a biqueira da bota dentro do líquido e percebeu que não podia ser água de um cano roto. O que quer que aquilo fosse era ESPESSO e PEGAJOSO.

Winston ficou preocupado. E se o museu estivesse a ficar inundado? Por isso, abriu as gigantescas portas de madeira o mais rápido que conseguiu.

Nada poderia preparar Winston para o que aconteceu a seguir...

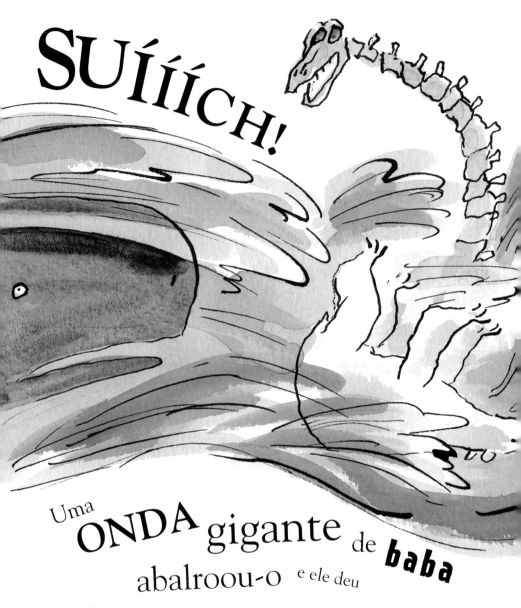

SUÍÍÍCH!

Uma ONDA gigante de **baba** abalroou-o e ele deu por si a ser levado a alta VELOCIDADE pela rua fora.

– AAHHH! – gritou o homem enorme, como se fosse um bebé.

Pouco atrás do segurança, vinham, a boiar, algumas das maiores atrações do museu – um urso polar embalsamado, a réplica em tamanho real da baleia-azul e até o **esqueleto do diplodoco**.

Foram todos a flutuar pelas ruas de Londres nas águas rápidas daquele **rio de baba**.

João estava no topo da vitrina de vidro que continha o dodó.
No meio da confusão, acordara **finalmente** do seu longo sono.
Ao flutuar pela rua fora, a inundação causada pela baba **destruía**
tudo no seu caminho.

Carros, camionetas e

até autocarros eram

levantados do chão e

flutuavam no

colossal

rio de

baba.

João saltou da vitrina de vidro para o telhado de um edifício.

Dali, e já em segurança, conseguiu ver mais atrações do museu a passar por ele.

Ovos de pássaro gigantes, um gorila embalsamado, uma réplica de um elefante.

O rapaz levou a mão ao bolso do casaco.

Ainda tinha a ficha de trabalho que o Professor Secante lhe dera no início da visita de estudo. João começou a tomar nota de tudo o que via.

Todas as exposições do museu flutuavam a seu lado, por isso, anotou-as a todas.

Uma rocha de marte,

uma caveira de um Neandertal,

uma estátua em mármore de Charles Darwin,

uma lula gigante,

um abutre embalsamado,

uma máquina de terramotos,

um modelo de um T-Rex...

A lista continuava por ali fora.

Um cavalo-marinho dentro de um jarro,

um modelo de um vulcão,

um fóssil de um peixe pré-histórico,

um fato espacial,

uma girafa embalsamada,

uma velhinha agarrada ao seu carrinho de compras –

– Espera lá, aquela é uma senhora verdadeira –

Uma réplica de um mamute-lanoso...

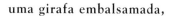

Em sua defesa, **João Babão** passou horas a escrever todas as coisas que viu, enquanto o rio de **baba** arrastava as preciosas atrações do museu para o mar.

Na aula do dia seguinte, João entregou orgulhosamente a ficha de trabalho ao Professor Secante. Com exceção de umas manchas de **baba**, estava perfeito.

Depois de ver todos os trabalhos dos alunos, o professor de Ciências comunicou os resultados.

– Posso anunciar que o vencedor é o João, com 100%! – disse o Professor Secante.

O rapaz teve a nota mais alta da turma pela primeira vez na vida.

Até ser prontamente **expulso** da escola!

Como castigo por ter destruído tudo, João foi obrigado a trabalhar no
• MUSEU DE HISTÓRIA NATURAL • . Ficou responsável por voltar a
montar o **esqueleto do diplodoco** que tinha sido recuperado do
fundo do mar. E não teve autorização para parar até que aquele puzzle
gigante ficasse **resolvido**.

Por isso, **João Babão** não voltou

a dormir nos

10 anos
seguintes.

ESTA HISTÓRIA
ESTÁ DEMASIADO
EMPAPADA!

FIONA
Chorona

CANAIS LACRIMAIS ENORMES

BOCA GRANDE
PARA SOLUÇAR

DEDOS PEGANHENTOS
COM CHOCOLATE E BOLO

FIONA
Chorona

FIONA ERA UMA CHORONA. Ela soluçava. Ela gritava.
Ela berrava. A menina tinha apenas 8 anos, mas passara certamente
sete desses anos a **chorar**.

Qualquer coisa, por mais

INSIGNIFICANTE que fosse,

podia pô-la a chorar.

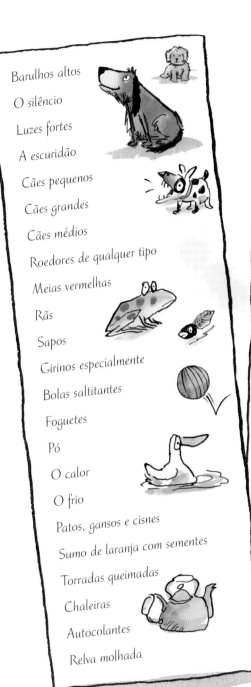

Barulhos altos

O silêncio

Luzes fortes

A escuridão

Cães pequenos

Cães grandes

Cães médios

Roedores de qualquer tipo

Meias vermelhas

Rãs

Sapos

Girinos especialmente

Bolas saltitantes

Foguetes

Pó

O calor

O frio

Patos, gansos e cisnes

Sumo de laranja com sementes

Torradas queimadas

Chaleiras

Autocolantes

Relva molhada

Bancos de jardim

Homens com tatuagens

Aviões em voo rasante

A cor roxa

Pelo de gato

Chuva

Escorregas de água

Lama

Objetos em plástico

Rebuçados

As passas nas bolachas com passas

Insufláveis

Qualquer tipo de cheiro,
   até os agradáveis

Nuvens

Bigodes

Vegetais

Arrotos

Sobrancelhas unidas

Pelos do nariz

Pelos dos ouvidos

Uma pessoa de chapéu

A menina tinha um irmão mais novo chamado Guilherme.

Desde o dia em que o irmão nascera, Fiona tratava-o muito mal.

Detestava ter de partilhar a atenção dos pais. Depois, certo dia, Fiona descobriu uma coisa maravilhosa. Podia simplesmente chorar e culpar o irmão mais novo de tudo. E quanto mais chorava, mais atenção ELA tinha.

Por isso, a menina pensou em planos cada vez mais diabólicos para fazer o irmão parecer horrível aos olhos dos outros. O truque preferido de Fiona era chorar e chorar e chorar sozinha no quarto, fingindo que o irmão a tinha magoado. Quando a mãe subia as escadas para ver o que se passava, Fiona balbuciava por entre um rio de lágrimas:

– Mamã, foi o Guilherme! Ele beliscou-me! O Guilherme beliscou-me o braço com toda a força!

Às vezes, para que a mentira parecesse mais real, Fiona beliscava-se a ela própria no braço. Depois, mostrava a pequena MARCA vermelha como prova da crueldade do irmão.

– BUUAHAHAHAHAHHAHAHHAH

– chorava ela.

FIONA CHORONA

De seguida, a mãe entrava de rompante no quarto do filho para o confrontar. Normalmente, o jovem Guilherme estava a ler ou a brincar em silêncio, com tampões colocados nos ouvidos. Passara a vida a ouvir a irmã a **chorar** e tinha adaptado uns tampões feitos de **gomas** para que pudesse continuar a sua vida em paz.

– Porque é que beliscaste a tua querida irmã? – exigia saber a mãe.

– **O quê?** – respondia Guilherme. Era difícil ouvir com as **gomas** enfiadas nos ouvidos.

– E por que razão tens **gomas** nos ouvidos?

Guilherme tirava as **gomas** dos ouvidos e defendia a sua inocência.

– Eu não lhe toquei, mãe – suplicava ele. – Estou no quarto a ler há **imenso tempo!**

HAHHAHAHAHA!

– Acho muito pouco provável! – declarava a mãe. – Não há *sobremesa* para ti esta noite!

– Mas…!

– Não há *sobremesa* durante uma semana!

– Mas…!

– Não há *sobremesa* durante um mês!

Por fim, o rapaz calava-se. Ele gostava de *sobremesas*. Mas não tanto como a irmã. A menina adorava *sobremesas*. Ainda gostava mais de sobremesas do que de chorar.

Em tempos, na padaria da zona, Fiona até propôs trocar o irmão por uma fatia de bolo de chocolate. Era uma fatia grande, mas ainda assim…

E se Guilherme não pudesse comer *sobremesa*, Fiona era autorizada a comer a dele. *Sobremesa* a DOBRAR! Tudo o que Fiona precisava de fazer era esparramar-se na cama a **chorar**.

No dia em que a nossa história começa, as duas crianças tinham sido deixadas sozinhas em casa. A mãe estava no jardim, a tratar das suas adoradas rosas, enquanto o pai cortava a relva.

Ao ver os pais lá fora, um plano maquiavélico formou-se na mente de Fiona. Era o plano mais diabólico que congeminara até então – espantosamente simples e deveras brilhante por essa mesma razão. O plano era o seguinte: Fiona arrancaria uma mão-cheia de cabelo e começaria a gritar até a casa vir abaixo. Quando a mãe e o pai fossem a correr, o dedo da culpa apontar-se-ia para o pobre Guilherme. Arrancar um monte de cabelo seria o crime mais terrível de Guilherme até então. Era melhor do que beliscões, EMPURRÕES, mordidelas, BOFETADAS, murros ou PONTAPÉS. Iriam certamente enviá-lo direitinho para um orfanato. E Fiona poderia ter o DOBRO das *sobremesas* – talvez até o TRIPLO – todas as noites, durante o resto da vida.

Era glorioso! Sobremesas, sobremesas e mais sobremesas!

A menina **malvada** foi pé ante pé até ao quarto do irmão, para se certificar de que ele lá estava. E realmente estava, a fazer os trabalhos de casa em silêncio, com os tampões de **gomas**, como era habitual.

Depois, Fiona voltou de fininho para o seu quarto. Olhou-se ao espelho e começou a fase um do seu plano. Levou a mão à cabeça e agarrou num tufo de cabelo. Fechou os olhos e puxou com toda a força que tinha. Não precisou de fingir que estava a chorar. A dor foi tão intensa que não conseguiu conter um grito.

Olhou para os fios de cabelo na mão e para o pedaço careca que lhe ficara na cabeça. Era do tamanho de uma bola de **pingue-pongue**. Depois, Fiona encostou uma orelha à porta do quarto, para tentar perceber se os pais iam a caminho. Estranhamente, não iam.

Por isso, Fiona voltou a fazê-lo.

— BUUUAHAHAHAHAHAHAHAHAHAHAHAHAHAHAHAHAHAHAHAHAHAHAHAHAHAHAHAHAHAHAHAHAHAHAHAHAHAHAHAHAHAHAHAHAHAH

Desta vez, arrancou ainda — mais cabelo da cabeça.

Agora, havia outro bocado careca.
Este era do tamanho de uma bola de **TÉNIS**.
Ainda assim, ninguém foi a correr.

Por isso, Fiona voltou a fazê-lo.

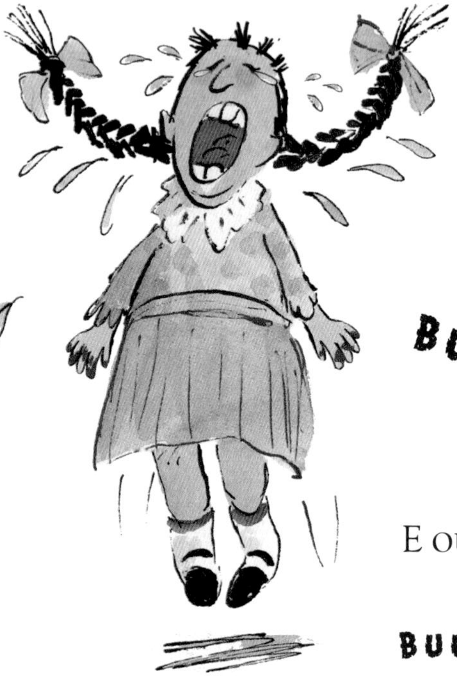

– BUUAHAHAHA!

E outra vez.

BUUAHAHA

E outra vez.

BUUUAHAHAHAH

AHAHAHAHAHAHAH
AHAHAHAHAHAHA
AHAHAHAHAHA
AHAHAHAHAHA

AHAHAHAHAHAH
AHAHAHAHAAHAH
AHAHAHAHAAHAH
AHAHAAHAH
AHAHAHAH
AHAHAHAH
AHAHAHAH
AHAHAHAH
AHAAH!

A dor foi tão intensa que os olhos de Fiona **ardiam** de tantas lágrimas. Já mal conseguia ver o que estava a fazer.

Ainda assim a menina

arrancou

mais e

mais

cabelos.

Por fim, limpando as lágrimas, olhou-se ao espelho. Estava agora completamente careca, à exceção de um único fio de cabelo no topo da cabeça.

Foi então que ouviu um barulho. O olhar de Fiona disparou para a porta do quarto. Para seu horror, a mãe, o pai e o irmão estavam todos a olhar para ela por uma frincha da porta.

Fiona fitou-os por um minuto e

eles fitaram-na também.

Como é que ela iria

explicar isto?

Fiona não sabia o que fazer, por isso fez o que sempre fazia. Enrugou o rosto e começou a chorar.

– BUUAHAHAHAHA! Nunca falhava.

– BUUAHAHAHAHAHA!

Exceto DESTA vez.

– Por que diabo estás a chorar? – exigiu saber o pai.

– Porque, mamã e papá, o meu horrível irmão arrancou TODO o meu cabelo! – respondeu a menina, por entre soluços teatrais.

Guilherme não conseguiu esconder um *risinho* ao ver a sua perversa irmã por fim a ser completa e totalmente APANHADA!

– Na verdade, ainda tens um cabelo no topo da cabeça! – proclamou ele.

Fiona examinou-se novamente ao espelho. Parecia realmente bastante estranho ter apenas um único fio de cabelo na cabeça, por isso arrancou-o com os dedos.

– BUUAHAHAHAHAHAAHAHA!

– Isso não pode ter doído – protestou Guilherme. – Era só um cabelo pequenino.

Fiona começava agora a ficar desesperada.

– M-m-mas TU arrancaste todos os outros, Guilherme, seu PATIFE miserável!

– Nós estamos aqui há alguns minutos, minha menina – começou por dizer a mãe.

– E vimos **tudo** – acrescentou o pai.

Um **sorriso** presumido esboçou-se no rosto de Guilherme, que já de si era presumido.

– M-m-mas... – protestou Fiona.

– Não tenho dúvidas de que já andas a fazer isto há muito tempo – acusou a mãe.

– M-m-mas...

– Não há *sobremesa* para ti, minha menina – declarou o pai.

Fiona **parou** de protestar por um momento. O castigo não parecia assim tão mau. Não poder comer **uma** *sobremesa*. De qualquer maneira, ela até tinha uma reserva de chocolates debaixo da cama. Lançou um olhar satisfeito na direção do irmão. Depois, tal como um pugilista profissional, a mãe deu o **golpe decisivo**.

– **NUNCA** MAIS!

Fiona ficou gelada. Isto era pior do que não ter cabelo. Não poder comer *sobremesas*! Mas Fiona adorava sobremesas. Se pudesse, comia apenas *sobremesas, sobremesas* e *sobremesas*.

Como é que alguém poderia viver sem:

bolo

e

gelados

e

MACARONS

e

bolo de morango

e

MERENGADA DE MORANGO

pastéis de na

e

tarteletes

e

bolo húmido

e

tarte de maçã

e

gelatina

e

PUDIM DE FRUTAS

e

cupcakes

e

pudim de caramelo

rolo de geleia

e

e

MOUSSE DE CHOCOLATE

bolo em camadas?

E comê-los todos, de preferência de uma só vez.

e

canudinhos recheados

– A sério, mamã? – suplicou a menina. – Isso **não pode** ser verdade. Nunca mais posso comer *sobremesa*?

– **Nunca, nunca** mais – respondeu a mãe, extremamente zangada por a filha a ter enganado durante tanto tempo.

Agora, **Fiona** teria de ver todas as noites o seu irmão do outro lado da mesa a saborear cada pedaço da sobremesa, e também cada pedaço do que teria sido a *sobremesa* dela.

Sobremesa a DOBRAR!

Na maior parte das noites, a mãe ainda dava a sua **própria** sobremesa a Guilherme, para o compensar por tudo o que ele sofrera ao longo dos anos.

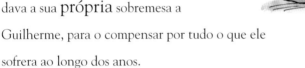

Sobremesa a TRIPLICAR!

E às vezes, o rapaz também podia comer a *sobremesa* do pai.

Sobremesa a QUADRUPLICAR!

Para a menina era uma **tortura** ver o irmão a comer todas as suas *sobremesas* favoritas noite após noite após noite, enquanto ela não tinha direito sequer a uma migalha.

Tarte merengada,

Bolo de gelado,

MERENGADA DE MORANGO;

Guilherme lambia as taças até ficarem limpas!

Para piorar mais as coisas, enquanto devorava tudo, Guilherme beliscava a perna da irmã por **debaixo** da mesa.

– Ele beliscou-me! – gritava Fiona.

Mas ninguém acreditava nela.

FIONA
A CHORONA

Tinha **chorado**

Choros a mais.

RUI
O Rapaz-Lêndea

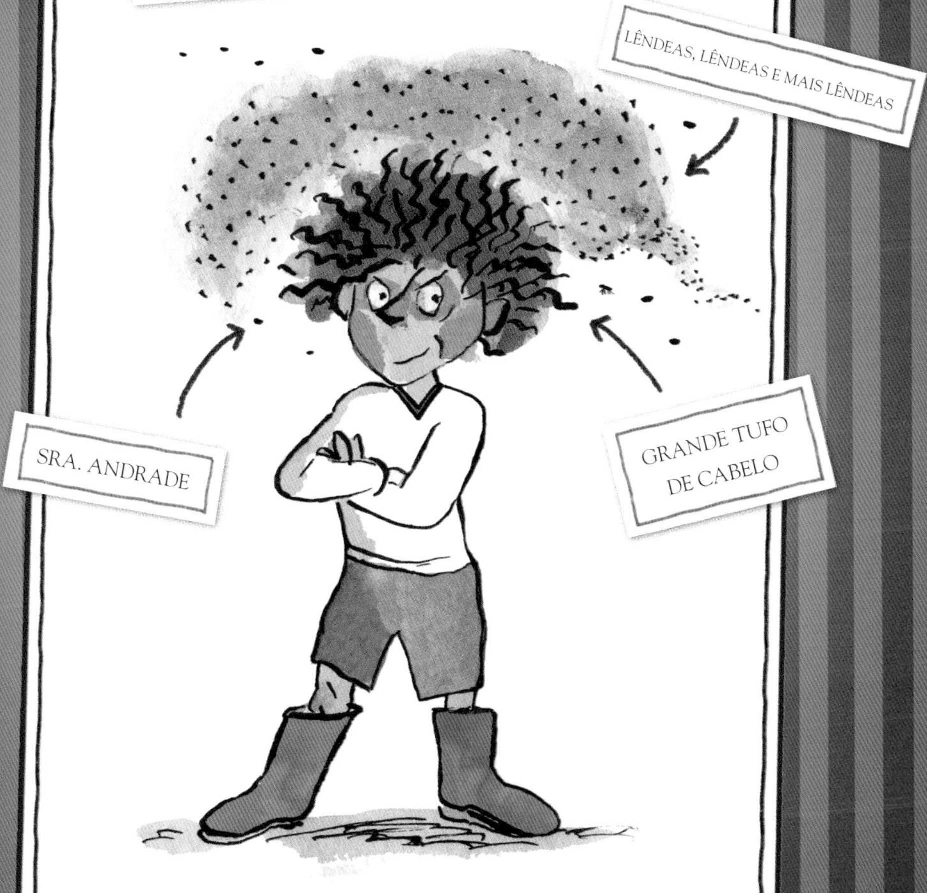

RUI
O Rapaz-Lêndea

AS LÊNDEAS PICAM. As lêndeas bicam.

As lêndeas irritam.

As lêndeas são uma CHATICE.

Mas não para Rui. Rui era um rapaz para quem as lêndeas nunca poderiam ser de mais. E ele queria o cabelo **cheio** destes bichos.

A nossa história começa na manhã em que Rui acordou e descobriu que tinha uma lêndea a viver na sua cabeça. A maioria das pessoas ficaria horrorizada e tentaria imediatamente tirá-la do cabelo.

Mas Rui, não, e ficou verdadeiramente encantado.

O rapaz chamou-lhe SRA. ANDRADE. Rui não tinha um cão, nem um gato, nem um hámster, por isso cuidou da lêndea como se fosse um animal de estimação. Certificou-se de que nunca penteava o cabelo (as lêndeas odeiam pentes). Pouco tempo depois, o cabelo de Rui tornou-se **FRISADO** e feroz, como um grande arbusto. Um paraíso selvagem para lêndeas.

ANTES   DEPOIS

Rui dava à Sra. Andrade acepipes de caspa (as lêndeas adoram caspa), na esperança de a conseguir treinar para fazer truques, tal como saltar-lhe na cabeça de um lado para o outro.

Algum tempo depois, Rui ouviu falar de uma outra criança na escola que também tinha lêndeas. Chamava-se Tina Tinha. Rui queria as lêndeas de Tina mais do que qualquer outra coisa no mundo. Queria lêndeas e mais lêndeas e mais lêndeas! Um dia, durante o intervalo, desatou a correr atrás da pobre menina pelo recreio fora.

– O que queres? – gritou Tina, pelo meio de lágrimas. – Não quero jogar às caçadinhas!

– Quero as tuas lêndeas! – respondeu o rapaz.

– As minhas lêndeas? És louco! – gritou a menina.

– Sim, sou LOUCO por lêndeas! – disse Rui.

O rapaz tropeçou por cima de um skate e voou pelo ar na direção dela.

TUMP!

Bateram com as cabeças e, num instante, as lêndeas de Tina saltaram para a cabeça de Rui...

O rapaz ficou um pouco atordoado, mas, ainda assim, feliz. Agora, a Sra. Andrade tinha companhia.

No dia seguinte, Rui ouviu falar de um rapaz na escola que tinha lêndeas: o Cláudio Cascão. Rui queria desesperadamente as lêndeas dele, por isso perseguiu Cláudio pelo corredor e encurralou-o na casa de banho.

A tremer, o rapaz trancou-se no cubículo, mas Rui não desistiu. Trepou pelo cubículo ao lado e pendurou-se do teto, de pernas para o ar. As cabeças de Rui e Cláudio bateram uma na outra.

BONC!

Uma vez mais, as lêndeas saltaram para a cabeça de Rui.

Nem o gato da escola estava a salvo dos avanços de Rui. Quando disseram a Rui que o gato Pivete também tinha lêndeas, ele perseguiu a pobre criatura ao longo do campo de futebol. Quando conseguiu apanhar o gato, colou-o com fita adesiva à sua cabeça. Parecia uma peruca muito pouco convincente.

Ainda assim, uma por uma, as lêndeas do gato pularam para a cabeça de Rui.

Pouco tempo depois, Rui tinha tantas lêndeas que até as suas lêndeas tinham lêndeas. Deixou de as contar quando chegou a um milhão e três.

*   *   *

Podes estar agora a perguntar-te por que razão Rui queria a cabeça cheia de lêndeas. Por favor, deixa-me explicar. Desde pequenino, Rui passava os dias a ler banda desenhada. O rapaz era baixo para a sua idade (se não contarmos com o enorme tufo de cabelo no topo da cabeça) e queria ser forte e PODEROSO como as personagens dos livros aos quadradinhos. Contudo, Rui tinha tido uma infância muito normal. Não tivera a sorte de ter sido

picado por uma *aranha radioativa*,

ou de vir de um *planeta Viking*,

ou de ter caído por um poço de

morcegos abaixo.

Além disso, achava que os super-heróis eram um bocado aborrecidos. Estavam sempre a praticar o bem. Os SUPERVILÕES eram muito mais emocionantes. Passado pouco tempo, o maroto tinha elaborado um plano.

Certa manhã, estava ele na casa de banho a lavar os dentes, olhou-se ao espelho. O seu cabelo agora já não era bem um arbusto, mas antes uma sebe. Rui não se conseguia lembrar da última vez que o cortara ou penteara.

Biliões de lêndeas saltitavam para dentro e para fora desta sebe de cabelo, formando uma nuvem negra à sua volta.

– O dia chegou, finalmente. O meu superpoder composto de lêndeas está pronto! A partir deste dia, o mundo conhecer-me-á apenas como…

Rapaz-Lêndea!

O melhor de tudo era que o nome nunca havia sido usado.

Por isso, agora que Rui tinha aquelas lêndeas todas, começou a fazer o seu fato. Felizmente, a tia do rapaz, a Tia Pat, era muito boa a costurar e fez um fato de SUPERVILÃO para o sobrinho num piscar de olhos.

Rui vestia…

uma capa feita com uma das saias da mãe

o logo RL de Rapaz-Lêndea cosido pela Tia Pat

as meias-calças da avó

umas cuecas velhas do pai

botas para a chuva

Rui tinha um superpoder.

Tinha um nome.

Tinha o fato vestido.

Ele era o Rapaz-Lêndea!

Começou de imediato a praticar a sua SUPERVILANIA.

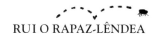

Na manhã seguinte, entrou a passos largos na escola, a capa a esvoaçar atrás dele. Em primeiro lugar, Rui jurou vingar-se do seu professor de Geografia, o Professor Ramerrão. Rui achava que a Geografia era aborrecida e passava a maior parte das aulas a ler banda desenhada. O Professor Ramerrão dera a Rui castigos atrás de castigos. Agora, o *Rapaz-Lêndea* estava à porta da sala de aula. De início irromperam gargalhadas uivantes por parte das outras crianças. E, a bem dizer, o potencial SUPERVILÃO era coisa digna de se ver, com aquele fato e sebe de cabelo.

– HA HA HA!

Contudo, os risos depressa se transformaram num silêncio atónito, assim que o *Rapaz-Lêndea* gritou a sua primeira ordem.

– LÊNDEAS! AGRUPAR!

Os biliões de lêndeas que estavam na sua cabeça formaram uma massa negra ao lado do rapaz.

– Rui, que diabo estás a fazer? – exigiu saber o Professor Ramerrão.

– LÊNDEAS! AO ATAQUE!

– gritou o rapaz.

As lêndeas enxamearam o professor de Geografia, picando-o todo com as suas pequenas garras.

— **Argh!** – gritou o professor, correndo para fora da sala de aula.

Todos os alunos encostaram a cara às janelas para o ver.

O homem tentava desesperadamente afastar as lêndeas. Sal^{titava} e $^{rodopi}_{ava}$ e batia nele próprio,

enquanto corria pelo recreio em direção ao lago da escola, para onde se lançou com um enorme

SplASH!

Tinha finalmente conseguido algum alívio das picadas das lêndeas.

Apesar de agora estar submerso em água verde e com uma rã gorda sentada em cima da sua cabeça.

O *Rapaz-Lêndea* riu-se para si mesmo.

Isto ia ser divertido.

Depois marchou através do recreio em direção à cantina.

A cozinheira, a Sra. Conchita, era um verdadeiro dragão. O prato preferido dela era **brócolos cozidos.** Sobre qualquer comida que se escolhesse, nem que fosse rolo de chocolate, a Sra. Conchita atirava um monte de colheradas de uma papa verde e aguada por cima. A seguir, marchava pela cantina fora, rodopiando a concha da sopa como se fosse um cassetete, ameaçando cortar o pio a qualquer pessoa que não comesse **tudo até ao fim.**

Rui detestava brócolos. Se o Super-Homem tinha medo da kryptonite, o *Rapaz-Lêndea* tinha terror a brócolos. Agora, ia vingar-se da mulher que o tinha obrigado a comer **montanhas** desse legume.

– Rui… – ronronou ela quando o rapaz entrou. – Porque tens as **cuecas** por cima das calças?

Ha ha ha!

O sorriso da Sra. Conchita desvaneceu-se assim que o *Rapaz-Lêndea* gritou a ordem seguinte.

– LÊNDEAS!
ATACAR OS BRÓCULOS!

– Não vou permitir que as tuas lêndeas nojentas cheguem perto dos meus deliciosos brócolos! – protestou a cozinheira.

Demasiado tarde. As lêndeas formaram um enxame em forma de **tornado** rodopiante. A Sra. Conchita ficou de boca aberta, em choque, vendo este **vórtice** a rodar por cima das preciosas travessas de brócolos. A seguir, o tornado começou a disparar os vegetais murchos e húmidos na direção da Sra. Conchita.

A cara da Sra. Conchita foi salpicada por brócolos atrás de brócolos, até se transformar numa confusão de vegetais verdes e húmidos.

Agora, o **Rapaz-Lêndea** sentia-se preparado para se vingar do diretor da escola. O velho Sr. Carrancudo tinha suspendido o Rui após o 10.º castigo por ler banda desenhada durante as aulas. O diretor era um homem pequeno e tímido, por isso o **Rapaz-Lêndea** pensou que o podia assustar. Durante o recreio, postou-se por baixo da janela do gabinete do diretor. E fechou os olhos, concentrando-se.

– LÊNDEAS! ASSUMIR POSIÇÕES! – ordenou o rapaz.

Lentamente, os minúsculos insetos juntaram-se num enxame com a forma de uma lêndea gigante. As lêndeas eram capazes de ler a mente do seu dono e mestre. O rapaz fechou os olhos com força, um ar de concentração extrema espelhado na face, e a forma em figura de lêndea gigante avançou na direção da janela do diretor, batendo no vidro com uma garra gigante.

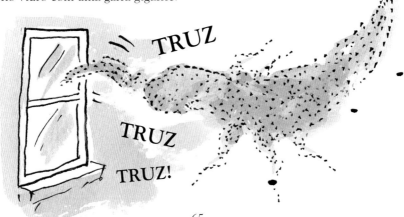

TRUZ

TRUZ

TRUZ!

O Sr. Carrancudo virou-se na direção da janela e soltou um grito.

–NÃÃÃÃÃOOOO!

A lêndea gigante bateu a enorme cabeça

contra a janela, partindo o vidro. **CRAC!**

– SOCORRO! – gritou o diretor, disparando para fora

do gabinete. Ao correr para o recreio, o Sr. Carrancudo viu um

contentor do lixo.

Olhando para trás, para ver se a lêndea gigante o seguia, o

homenzinho empurrou o contentor com toda a força que tinha e

saltou lá para dentro, com o contentor já a rebolar a alta velocidade.

Por fim, o **Rapaz-Lêndea** abriu os olhos

e observou, orgulhoso, o diretor a saltar pelo

recreio dentro do contentor.

O contentor foi contra um muro baixo…

BLÉM!

… fazendo com que o velho homenzinho saísse disparado a voar diretamente contra uma árvore.

CLUNC!

Rui começou a dirigir-se para os portões da escola e as lêndeas regressaram à cabeça do seu mestre..

Ainda havia muito mais SUPERVILANIA à vista!

Algum tempo depois, o **Rapaz-Lêndea** chegou à praça do mercado que, por esta altura, já estava repleto de pessoas à procura de pechinchas. Usando as suas lêndeas, Rui escreveu no céu uma asneira.

Rabiosques

Uma velhinha ficou tão chocada que desmaiou ao vê-la.

Depois, o **Rapaz-Lêndea** voltou a atenção para a loja de brinquedos. O SUPERVILÃO ordenou às suas lêndeas que roubassem todos os itens da loja, incluindo a caixa registadora.

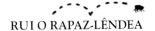

O dono da loja perseguiu o rapaz pela rua abaixo, mas as lêndeas **bateram-lhe** na cabeça com um dos seus ursos de peluche gigantes.

Mas mais caos e destruição
estavam para vir.

Subitamente, luzes começaram a piscar e sirenes desataram a tocar.
Tinham chamado a polícia para impedir que Rui causasse ainda mais
desordem. Mas o **Rapaz-Lêndea** mandou as suas lêndeas
atacarem o carro da polícia e elas formaram um enxame à frente
do para-brisas do carro. O vidro ficou tão
coberto de lêndeas que o polícia
embateu contra a montra de uma ótica.

PRÁS!

ÓTICA

AGORA VOCÊ PODE VER PARA ONDE VAI!

Nada podia parar o **Rapaz-Lêndea**. Ele sentia-se invencível.
Em breve, todo o mundo ajoelhar-se-ia a seus pés.

VIVA, **Rapaz-Lêndea!**

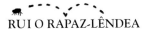

Nessa noite, Rui vestiu o pijama e deitou-se na cama. Até os SUPERVILÕES precisam de descansar. O rapaz imaginava planos ainda mais maléficos para o dia seguinte.

Contudo, no lado de fora da rua postara-se uma multidão de pessoas da vila, armadas com um monte de pentes (em vez de tochas em chamas e forquilhas, como é costume nas multidões furiosas). Era preciso despir o *Rapaz-Lêndea* dos seus poderes. E só havia uma forma de o fazer.

Começaram a cantar:

– PENTEIA O CABELO DELE!

– PENTEIA O CABELO DELE!

Os gritos tornaram-se cada vez mais altos, à medida que a multidão ficava cada vez mais zangada.

Rui saltou da cama e espreitou pela janela. Olhando para baixo, viu cada vez mais pessoas a juntarem-se à horda.

Com as lêndeas a esvoaçar à volta dele, Rui tirou o pijama e vestiu o fato para se tornar o… *Rapaz-Lêndea!*

Marchou para a rua e aproximou-se da multidão.

Com as botas para a chuva calçadas e a capa vestida (que era, na verdade, apenas uma das saias velhas da mãe) a esvoaçar atrás dele, o *Rapaz-Lêndea* sentia-se preparado para enfrentar o mundo.

Os milhões de lêndeas tinham-se multiplicado agora em biliões de lêndeas ou talvez até triliões.*

Os insetos zumbiam à volta da cabeça do rapaz, bloqueando as estrelas dispersas pelo céu da noite.

* É difícil dar-te um número exato, pois as lêndeas nunca ficam quietas, o que faz com que contá-las seja IMPOSSÍVEL.

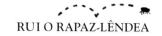
– ALI ESTÁ ELE! – gritou alguém.

– É O *Rapaz-Lêndea!*

– APANHEM-NO!

A multidão avançou, de pentes em punho. A velhota que desmaiara na praça do mercado segurava na mão um grande frasco de champô antilêndeas, chamado **Arrasa-Lêndeas**.

A etiqueta dizia:

O maior inimigo da **LÊNDEA!**
Este champô ALTAMENTE
TÓXICO e malcheiroso é venenoso
para todo o tipo de lêndeas.
É GARANTIDO que mata as
lêndeas até elas estarem completa e
TOTALMENTE
MORTAS!

Incapaz de conter a sua raiva por mais um momento, a velhinha atirou o frasco a Rui. Mas a embalagem fez ricochete no cabelo do rapaz e bateu na cabeça da idosa, deixando-a inconsciente.

O rapaz ainda não ia ceder tão facilmente. Mais uma vez, voltou a dar **ordens** às suas lêndeas.

– LÊNDEAS! LEVANTAR.

As lêndeas fizeram uma descida rápida, no sentido de criarem uma plataforma voadora debaixo dos pés do seu mestre. Depois, levantaram-no no ar com uma facilidade incrível.

A multidão susteve a respiração, horrorizada. Este SUPERVILÃO conseguia realmente voar!

O rapaz voou pelo céu da noite,

fazendo um impressionante

looping, antes de ficar suspenso sobre a multidão.

– AGORA, VOLTEM PARA AS VOSSAS CASAS OU IRÃO SENTIR A **FORÇA BRUTA** DO *Rapaz-Lêndea!*

Começaram a ouvir-se sussurros tristes. As pessoas sabiam que tinham perdido, mas, ainda assim, ninguém se mexia.

– DISPERSAR! – ordenou o *Rapaz-Lêndea* à multidão.

No entanto, as lêndeas devem ter pensado que ele estava a falar com elas. As lêndeas não são propriamente conhecidas pela sua inteligência. Tanto quanto sei, nunca uma lêndea realizou uma cirurgia ao cérebro ou deu qualquer contributo para a ciência espacial. Por isso, as lêndeas…

...DISPERSARAM.

Lideradas pela Sra. Andrade, começaram a *voar* em diferentes direções, desaparecendo no céu.

O *Rapaz-Lêndea* olhou para as pessoas no chão.

Engoliu em seco quando começou a cair a

      p
        i
          q
            u
              e
                .

Foi aos trambolhões

      pelo ar, batendo

            desesperadamente os braços.

– SOCORRO!

A multidão afastou-se e Rui caiu de cabeça no chão. Felizmente, o **volume** do cabelo era tal que ele sobreviveu à queda sem se magoar.

– APANHEM-NO!

– gritou alguém.

Rui foi levado para o cabeleireiro, onde lhe lavaram o cabelo com champô **Arrasa-Lêndeas** e deixaram-no com o cabelo curto atrás, em cima e dos lados.

As restantes lêndeas, ou ovos de lêndea, foram tirados do cabelo de Rui com um pente especial e ele teve de fazer uma promessa perante toda a vila.

– Eu juro, por tudo o que me é sagrado, nunca, mas nunca mais voltar a tornar-me no Rapaz-Lêndea.

É possível que fiques surpreendido quando souberes que Rui, apesar de ser uma das piores crianças do mundo, manteve a sua promessa.

Ainda assim, algum tempo mais tarde, o rapaz inventou outro SUPERVILÃO.

A partir de agora, ele seria conhecido como…

O RAPAZ-VERRUGA!*

Um SUPERVILÃO que se recusava a usar meia protetora na piscina, desencadeando assim uma praga de **verrugas** no mundo.

E a melhor parte era que Rui podia reutilizar a capa que era, na verdade, uma velha **saia** da mãe.

AS VERRUGAS SÃO UMA COISA SÉRIA!

*Mais uma vez, felizmente, o nome ainda **não** tinha sido usado.

Menina BINA Traquina

BRILHO TRAVESSO NO OLHAR

BRAÇOS A ABANAR

PERNAS A RODAR

Menina BINA Traquina

ESTA É A HISTÓRIA DE UMA MENINA que não conseguia parar quieta. A *Menina Bina Traquina* estava sempre a mexer-se. **Mexia-se** quer estivesse numa aula, na igreja ou até a brincar às estátuas. Podia ser apenas um pé, ou um braço, ou o corpo inteiro.

Começava com um

pequeno abanico, depois

tornava-se num abanão,

passando para um saltito

e progredia para

um SALTÃO.

Pouco tempo depois, estava a andar à roda pela sala fora, criando um pandemónio onde quer que fosse.

Bina tinha bichos-carpinteiros até a dormir. Às vezes, as outras meninas do seu colégio interno chique, o *Colégio Modesto* ouviam um barulho no silêncio da noite. Espreitavam por debaixo dos cobertores e viam Bina a dançar ballet pelo dormitório, de olhos fechados.

Certo dia, a diretora da escola de Bina anunciou que as meninas do *Colégio Modesto* iam fazer uma visita incrivelmente especial.

– Silêncio, meninas! – ordenou a senhora, do palco do auditório do colégio. O cabelo cinzento da Sra. Pedante estava arranjado num penteado em forma de tufo e a senhora usava uns óculos em meia-lua pendurados do pescoço por um fio dourado. Se estivesse prestes a ralhar com alguém (o que era comum), encavalitava os óculos de forma a poder olhar fixamente para a vítima e provocar-lhe arrepios.

– Bem, meninas, vamos fazer uma visita de estudo a um sítio que eu, a vossa adorada diretora, escolhi pessoalmente. Vamos visitar o meu museu da PORCELANA favorito. Escusado será dizer que espero que se portem **excecionalmente bem**. Não quero que haja **contratempos**.

Subitamente, todos os olhos se voltaram para **Bina**.

OH, NÃO!, pensaram as meninas bem-comportadas sentadas na primeira fila.

OH, SIM!, pensaram as meninas malcomportadas sentadas na última fila.

Para piorar ainda mais as coisas (ou melhorar, dependendo do ponto de vista de quem fosse bem ou malcomportado), Bina estava naquele preciso momento a saltar para cima e para baixo na cadeira, como se fosse uma bola saltitante.

– Há muito tempo que tenho uma paixão por **PORCELANA** – continuou a diretora, que adorava fazer longos discursos. – E agora eu, a vossa adorada diretora, quero partilhar essa paixão convosco. Este museu é o melhor da Europa. Todas as peças em exibição são antiguidades de preço inestimável. Não quero que haja *"acidentes"*. Faço-me entender?

Ouviu-se um leve murmúrio por parte das alunas.

– EU DISSE: FAÇO-ME **ENTENDER?!**
– gritou ela.

– Sim, senhora diretora, responderam as meninas em uníssono.

– Ótimo! E agora, *Menina Bina Traquina*, quero falar contigo no meu gabinete imediatamente.

A menina ficou vermelha como um tomate a conduzir um camião dos bombeiros. O que teria ela feito agora?

Já não teria, certamente, algo que ver com a altura em que acidentalmente rodopiara de costas para dentro do laboratório de Ciências... Sim, a experiência em curso correra terrivelmente mal. Sim, ainda havia um enorme buraco no chão onde o ácido caíra.

Mas Bina jurara que fora um acidente.

Sim, o salto triplo que dera no dia reservado ao desporto escolar tornou-se num salto *óctuplo* (composto por oito movimentos diferentes) e acabou com Bina a dar um pontapé no Presidente da Câmara,

que **voou** do pódio.

Mas, uma vez mais, Bina insistira que fora um acidente.

E sim, claro, ninguém podia esquecer o dia do Concerto de Natal da escola, em que Bina não conseguiu parar quieta, fez sucessivas rodas pela ala central da igreja acima e atirou o padre contra o coro.

Mas não passavam de acidentes.

Ela não tinha culpa de não conseguir parar quieta.

Tinha até um bilhete da mãe
a provar isso mesmo.

A quem possa interessar

A minha Querida Filha, a Menina Bina Traquina, não consegue
ficar quieta por mais do que um segundo. Ela não tem
culpa, por isso não pode ser castigada se causar danos
a propriedades, edifícios, pessoas ou animais. Por favor,
tomem muito bem conta da minha Querida Filha.

Com os melhores cumprimentos,

A Mãe de Bina

Hesitando, a menina bateu à porta do gabinete
da diretora.

TRUZ   TRUZ   TRUZ!

– Entre! – vociferou a diretora do lado de dentro.

TRUZ TRUZ TRUZ TRUZ TRUZ!

A mão de Bina não parou de bater.

– EU DISSE **"ENTRE"**! – gritou uma voz zangada.

Ainda assim, Bina não conseguia fazer com que a mão deixasse de bater

TRUZ TRUZ TRUZ TRUZ TRUZ TRUZ TRUZ TRUZ!

– Por amor de Deus! – rosnou a diretora.

A Sra. Pedante abriu a porta de repente e Bina continuou a TRUZ-TRUZ-TRUZAR no **nariz** da senhora.

BÓIM!

– Ai!

– Desculpe, Sra. Pedante – respondeu a menina, com uma suspeita de sorriso. Tinha piada ver a senhora a **fumegar**.

– ENTRA IMEDIATAMENTE NO MEU GABINETE! – ordenou a diretora.

Bina deu uma **cambalhota** para dentro do gabinete, que se encontrava sempre impecavelmente limpo. De facto, uma velha funcionária da limpeza estava naquele momento a polir os troféus da escola numa mesa.

— Você, saia! — ordenou a diretora. A Sra. Pedante era brusca com qualquer pessoa que considerasse estar abaixo dela.

A funcionária pegou nos panos do pó e arrastou-se na direção da porta.

— Rápido! — gritou a Sra. Pedante, e a pobre coitada apressou-se até desaparecer da sala.

— Agora, pega naquela cadeira, *Menina Bina Traquina* — disse a diretora.

Bina fez exatamente isso. Pegou na cadeira e **dançou** com ela pelo gabinete fora.

— Eu quis dizer para te sentares! — rosnou a Sra. Pedante.

A menina rodopiou a cadeira pelo ar até pousá-la no chão, sentando-se lentamente sobre ela.

MENINA BINA TRAQUINA

Assim que o seu rabiosque tocou na cadeira, sentiu um impulso irresistível de saltar para cima e para baixo. E foi o que fez.

– ESTÁ QUIETA! – exigiu a Sra. Pedante.

Mas Bina continuou a saltar para cima e para baixo, a cadeira a chiar ritmicamente sob os seus **saltos**.

BÓIM
QUIIC!
BÓIM
QUIIC!
BÓIM
QUIIC!

– Bem, escusado será dizer que te quero com um comportamento exemplar durante a visita de estudo.

– Claro, senhora diretora. Como se alguma vez eu pudesse fazer o contrário.

BÓIM
QUIIC!
BÓIM
QUIIC!
BÓIM
QUIIC!

A diretora não estava convencida. Pegou nos óculos em meia-lua, levou-os aos olhos e estudou a menina.

— Verdade seja dita, tu deixaste um rasto de **destruição** por todos os sítios em que passaste no *Colégio Modesto*, que é o melhor colégio interno do país. Julgo que não preciso de te lembrar do **incidente** na cantina, ontem, à hora do almoço. Começaste por fazer malabarismo com enormes taças de salada de frutas. Pouco depois, v o o o o a a r a m pelo ar e foram direitas à mesa dos professores.

— Pelo menos poupei-vos do incómodo de terem de ficar na fila para a sobremesa, senhora diretora – respondeu a menina.

Se isto fora dito com a intenção de apaziguar a diretora, falhara redondamente.

– EU FIQUEI COBERTA DE FRUTA DA CABEÇA AOS PÉS!
– rugiu a diretora, a face agora a ferver de raiva, prestes a ranger
os dentes. – Ainda esta manhã encontrei um pedaço de banana
na orelha.

– Comeu-a, senhora diretora? – perguntou educadamente a menina.

– Não! NÃO a comi!

BÓIM
QUIIC!   BÓIM
QUIIC!   BÓIM
QUIIC!

Este barulho começava a irritar a diretora, mas ela continuou
o discurso.

– E depois, houve aquela vez em que provocaste o caos
na aula de Artes. Saltaste e fartaste-te de saltar e,
quando demos por isso, havia tinta espalhada pelas
paredes, janelas e teto…

– A nossa professora de Artes,
a Professora Pintas, disse que até
gostou da nova decoração…

A diretora optou por
ignorar esta resposta
à *chico-esperto*.

– E daquela vez em que conseguiste soltar TODAS as bolas de lacrosse do armário de jogos. A Professora Robusta, a pobre professora de Educação Física, caiu e foi levada por um mar de bolas pelo campo de jogos!

– Espero que algum dia a **encontrem** – comentou Bina.

– TAMBÉM EU! – berrou a diretora.

BÓIM QUIIC! BÓIM QUIIC! BÓIM QUIIC!

A Sra. Pedante não conseguia aguentar nem mais um minuto.

– **PODES ESTAR QUIETA?!** – ordenou ela.

– Desculpe, senhora diretora – murmurou a menina. Por um momento, Bina manteve-se quieta. Mas esse momento passou rapidamente.

Começou por um abanico, depois um abaneco, acabando num tremendo abanão. A menina deu uma cambalhota em mergulho no chão e acabou a demonstração de acrobacia com um pino.

– Ora bem, *Menina Bina Traquina* – ronronou a Sra. Pedante, com uma suspeita de ameaça na voz.

– Eu preciso que a visita de estudo ao museu da **PORCELANA** corra sem incidentes, ou o Colégio Modesto, fundado há mil anos por nada mais nada menos do que uma freira, vai tornar-se alvo de chacota.

– Claro que sim, senhora diretora – disse a menina, de ᴚⱯ O ⱯᴚⱯԀ SⱯNᴚƎԀ, agora movendo-se pelo gabinete da diretora apoiada nas mãos, tal como um caniche acrobata. – Por isso, dei ordens à professora de Ciências do Colégio Modesto, a Professora Inventas, para criar uma engenhoca que te impeça de causares danos às antiguidades, que são de valor inestimável.

A *Menina Bina Traquina* não gostou nada desta ideia.

– Eu dispenso, muito obrigada, senhora diretora – disse ela.

A menina fazia agora pontapés de bicicleta.

Enquanto falava, as suas pernas fizeram com que um monte de
relatórios escolares voasse da secretária da diretora.

Pareciam um bando de gaivotas a levantar voo.

– Não, nem penses! – rosnou a diretora.

– Como é a **engenhoca**, senhora diretora?

– Ah, tu vais ver! – disse ameaçadoramente
a Sra. Pedante, tentando, desesperada,
apanhar as folhas de papel no ar.

– AGORA, SAI!

Com isso, Bina fez uma roda para fora do gabinete, mandando ao chão, com um pontapé, os troféus acabados de polir.

PRÁS!

BAM!

C A TRAPÁS!

* * *

O dia da visita de estudo chegou e a **Professora Inventas**, orgulhosa, fez rebolar a sua invenção do laboratório de Ciências até ao recreio.

— Aqui tem, senhora diretora! — disse a professora, ainda com a sua bata branca de laboratório e óculos protetores. — Tal como pediu.

— É maravilhoso, professora! — respondeu a Sra. Pedante.

Parecia um brinquedo gigante feito para um hamster.

A professora de Ciências tinha criado uma enorme bola, **insuflável** e transparente, suficientemente grande para alguém caber lá dentro. É claro que essa pessoa era a *Menina Bina Traquina.*

– Tenho muito orgulho em finalmente apresentar a minha **invenção!** – anunciou a professora.

– A Bola SALTITANTE.

É feita para evitar que crianças de todo o mundo parem de se abanar e para impedir que elas destruam tudo o que encontram à frente.

– DESPACHE-SE! – ordenou a diretora, que parecia gostar apenas do som da sua própria voz.

– Sim, sim, senhora diretora – replicou apressadamente a professora de Ciências. – É muito simples: a criança que **não consegue parar quieta** é colocada aqui dentro – começou ela, indicando uma pequena abertura na bola. – Depois, quando a criança se mexer, a **Bola SALTITANTE** faz apenas ricochete num objeto em que toque, causando **zero** danos.

Pelo menos, era essa a ideia.

– Esplêndido! – disse a diretora.

– Pode **sair!**

Era um longo caminho de autocarro desde a escola até ao museu da **PORCELANA**. Apesar dos protestos do condutor, a diretora insistiu que Bina viajasse na mala, para que não estragasse nada durante o caminho.

Assim que chegaram, a diretora enfiou-a na Bola SALTITANTE. De seguida, encaminhou o grupo de alunas para o museu, com *Bina* a saltitar atrás delas. Apesar da relutância inicial, depois de estar dentro da Bola SALTITANTE, a menina começou a gostar. Um sorriso espelhou-se no seu rosto.

O museu era uma arca de tesouros com tudo o que dissesse respeito a

PORCELANA.

Cães em porcelana, gatos em porcelana, pratos em porcelana, jarras em porcelana, chaleiras em porcelana, castiçais em porcelana, louça em porcelana.

Todos os objetos eram antiguidades e valiam uma fortuna.

– Bem, meninas, escusado será dizer que é absolutamente **proibido** tocar em seja o que for – anunciou a diretora. – Eu sei, evidentemente que muitas das vossas mamãs e papás são podres de ricos, visto que vos inscreveram no ilustre e maravilhoso *Colégio Modesto* que, tenho orgulho em dizer, é o mais **caro** do país. Contudo, se tocarem em alguma coisa e a partirem, vão ter de a pagar vocês mesmos, até ao último cêntimo. A vossa adorada diretora faz-se **entender?**

As alunas murmuraram.

– EU PERGUNTEI: A VOSSA ADORADA DIRETORA FAZ-SE **ENTENDER?!**

– Sim, senhora diretora – responderam as meninas.

– Então, juntem-se aqui!

As meninas juntaram-se à volta de uma coluna, sobre a qual estava pousada uma **enorme** taça, com centenas de minúsculas flores pintadas à mão. Bina saltitou dentro da sua bola gigante para conseguir ver melhor. A Sra. Pedante levou os óculos em meia-lua aos olhos.

– Esta taça foi feita em Paris. Pertenceu à última rainha de França, Maria Antonieta, e data do século XVIII.

Subitamente, ansiosa por conseguir ver melhor, a *Menina Bina Traquina* saltou com tanta força que a Bola SALTITANTE bateu no **teto**.

Fez **ricochete**, ganhando velocidade a uma

rapidez alarmante. Agora ia para

BAM!

cima e para baixo, para cima e para baixo,

fazendo tremer toda a divisão enquanto

s_al-sal-
s_al-sal-
saltⁱt_ava.

BUM!

BUM!

BUM!

A diretora susteve a respiração, horrorizada. A *Menina Bina Traquina* saltava perigosamente perto das peças em **PORCELANA** de valor inestimável.

À medida que a Bola SALTITANTE saltava cada vez mais perto, a Sra. Pedante esticou os braços e deu-lhe um encontrão. Isto fez com que a bola começasse a fazer ricochete nas paredes. Todas as alunas observavam, de bocas escancaradas. A bola bateu violentamente contra algumas peças de PORCELANA, sem causar danos, saltando de volta em direção à diretora

PRÁS! Fazendo-a cair contra um pinguim de PORCELANA pousado em cima de uma coluna.

– Nãããããooo!

– gritou ela.

O pinguim **voou** pelo ar.

Foi algo estranho de se ver, pois os pinguins são, como se sabe, aves que não voam. Mas o espanto de observar tal ave a levantar voo terminou rapidamente. O pinguim de **PORCELANA** embateu contra uma parede…

… desfazendo-se em centenas de pequenos pedaços. Todas as alunas soltaram sons de horror e de **contentamento**.

– Vais pagar por isto, *Bina Traquina!* – gritou a diretora.

– Mas eu não toquei na peça de **PORCELANA**, senhora diretora! Foi a senhora! – justificou a menina.

Escusado será dizer que isto fez com que a Sra. Pedante explodisse de fúria. Começou a correr atrás da *Menina Bina Traquina*, enquanto ela sal-sal-saltava para o outro lado da sala.

A diretora correu na direção da Bola SALTITANTE, desta vez com os braços e as pernas esticados, na tentativa de a parar. Mas assim que fez ricochete na parede, a bola voltou a empurrá-la pelo ar.

A primeira coisa contra a qual a senhora bateu foi uma estátua de PORCELANA de um cisne.

TÓIM!

A segunda coisa foi uma estátua de **PORCELANA**, em tamanho real, de uma bailarina.

PRÁS!

BAM!

A terceira coisa em que bateu foi uma estátua de **PORCELANA** de um palhaço.

TR ÁS!

Não era um daqueles palhaços felizes. Era dos tristes. Infelizmente, agora não temos tempo suficiente para explorar a fundo o estado emocional do palhaço. Isto porque o dito palhaço, em conjunto com os outros objetos que voaram pelo ar, em breve não era mais do que um chuveiro de PORCELANA espalhado pelo chão.

P R A C !

Nesse preciso instante, ouvindo toda a confusão, o velho diretor do museu saiu a correr do seu gabinete. Colocou o monóculo e começou a inspecionar os danos. As mais valiosas peças de PORCELANA do museu estavam desfeitas.

– O que vem a ser isto?! – gritou ele, furioso, agitando no ar uma das suas bengalas.

A diretora pôs-se de pé, a custo, esmagando cascalho de PORCELANA.

CRAC. CRAC. CRAC.

– Eu posso explicar – suplicou a senhora.

– Quem tocou nas mais puras, mais polidas, mais preciosas peças de **PORCELANA**? – exigiu saber o diretor do museu.

– Bem... – A diretora olhou para a *Menina Bina Traquina* que agora, para sua surpresa, apenas saltitava levemente dentro da bola.

– Bem... tecnicamente fui EU, mas...

– Não há "mas", nem meio "mas"! – gritou o diretor do museu.

– A **senhora** vai pagar tudo, até ao último cêntimo!

– NaãããããããããããããããooooooooOOOOO!!!

– gritou a diretora.

A menina que não conseguia ficar **quieta** deu um risinho.

* * *

A conta do museu chegou aos milhões.

Nem mil anos chegariam para a Sra. Pedante pagar tudo, tendo ela um salário pequeno de diretora de escola, ainda que a escola fosse a mais cara do país. Por isso, ela teve de se disponibilizar a fazer muitos outros trabalhos no *Colégio Modesto*.

Apesar de ser uma senhora muito chique, a diretora tinha agora de se levantar de madrugada para limpar os corredores da escola, de balde e esfregona.

À hora do almoço, era ela quem distribuía a sopa na cantina.

E ao fim do dia, era geralmente avistada num escadote, a limpar as folhas molhadas e os pombos mortos das caleiras.

E se havia alguém completamente disponível para

VIRAR o balde
da diretora,

mandar a sopa
PELO AR

ou **TROPEÇAR**
no seu escadote,

esse alguém era, pois claro…

a Menina Bina Traquina!

*   *   *

Alguns anos mais tarde, era o último dia de Bina no famoso Colégio Modesto. Tinha agora 18 anos e sentia-se pronta para dar uma cambalhota para o mundo.

Naquela manhã, a diretora estivera a desentupir as sanitas de madrugada e fora chamada à biblioteca para limpar vomitado, depois de a bibliotecária ter ficado com uma intoxicação alimentar.

Ao pousar, zangada, o balde e a esfregona, a Sra. Pedante viu a sua inimiga, Bina, sentada no canto da biblioteca a ler um livro.

O mais estranho era ver que a rapariga estava sentada completamente quieta.

A Sra. Pedante escondeu-se atrás de umas estantes de livros e espiou a sua aluna mais odiada. À exceção de virar a página do livro a cada dois minutos, a *Menina Bina Traquina* não mexia nem um músculo.

Depois de uma hora de vigia, a diretora saltou por detrás das estantes.

– AHA! – exclamou a senhora. – APANHEI-TE!

– Chiu! – Bina mandou-a calar, o seu olhar a indicar um letreiro gigante na parede da distinta biblioteca que dizia SILÊNCIO!

– Mas, mas, mas… – A diretora não se conseguiu conter. – Tu consegues estar quieta, se quiseres!

– Pois consigo! – respondeu a rapariga. – E SEMPRE consegui!

– Mas… e quanto àquela carta da tua mãe?

– Ah, essa coisa pateta? Fui eu que a escrevi!

– CEM

ANOS

DE

CASTIGO!

– berrou a

Sra. Pedante.

– Teria muito gosto, mas hoje é o meu último dia no Colégio Modesto. E em honra dos velhos tempos, eu vou…

… fazer uma **roda** daqui para fora!

Adeus, senhora diretora!

Com isto, a *Menina Bina Traquina* saltou sobre as

mãos e rodopiou para fora da biblioteca,

mandando todos os livros pelo ar.

A diretora ficou na biblioteca até à meia-noite, apanhando os livros e voltando a colocá-los nas estantes. Depois, ainda teve de limpar o vomitado.

Por isso, agora já sabes: a *Menina Bina Traquina* era realmente uma das piores crianças do mundo.

Um verdadeiro PRODÍGIO.

JOCA
Ranhoca

ALGUMAS CRIANÇAS GOSTAM de assoar o nariz; outras gostam de tirar **macacos** do nariz. Joca tirava macacos. O rapaz tinha sempre um dedo metido no nariz. Às vezes, tinha dois dedos. Um em cada narina.

E o tesouro escondido que procurava era de um verde puro: **RANHO.**

JOCA RANHOCA

Apesar de ser baixo para a idade, **Joca Ranhoca** conseguia tirar uma
quantidade extensa, e aparentemente inesgotável, de ranho do nariz.

Ranho líquido. Ranho viscoso.

Ranho duro. Bolas de ranho. Pingentes.

Estalactites de ranho. Estalagmites de ranho.

Ele era o deus de tudo o que fosse verde e **pegajoso**.

Depois de meter o dedo no nariz, o rapaz inspecionava rapidamente
o pedaço de ranho mais recente e depois acrescentava-o à sua **BOLA**
de **MACACOS** do nariz.

Joca lera num livro de recordes que o maior macaco do nariz
alguma vez visto tinha sido produzido por uma rapariga alemã bastante
encorpada, chamada *Fräulein Ranhostein*. Tinha o tamanho de uma
bola de canhão e pesava tanto como um porco de
tamanho médio*.

*Apesar de ter apenas 12 anos, a Fräulein Ranhostein
já tinha batido alguns recordes nojentos. A menina tinha
produzido o maior bloco de CERA DE OUVIDOS do mundo,
do tamanho de uma caixa de gelados. Depois, fora responsável
pela maior chuva de CASPA do mundo, conseguindo cobrir
um campo de futebol, limitando-se a soltar os totós do cabelo.
Contudo, o recorde de que Fräulein Ranhostein mais se orgulhava
era o do CHULÉ mais malcheiroso. Quando tirava as suas
botas de biqueira de aço, o fedor arrasava todas as árvores
num raio de 15 quilómetros.

Incentivado pela ideia de conseguir um lugar no *Livro de Recordes Mundiais*, Joca Ranhoca começou a tentar bater o recorde da sua rival. Estava determinado a produzir o macaco de todos os macacos: uma bola de ranho **GIGANTESCA**.

Começara com um macaco normal, de tamanho médio. Contudo, depois de colar macacos e mais macacos, transformou-se num supermacaco.

Depois, num **MEGAMACACO**. Finalmente, aquilo progrediu para um **ULTRAMACACO**.

Agora, de todas as vezes que o rapaz tirava macacos do nariz (que era, pelo menos, uma vez a cada dois segundos), acrescentava-os à bola.

Quando Joca começou, a bola era do tamanho de uma ervilha. Mas, a cada novo glóbulo verde, ela crescia.

Em pouco tempo, tinha o tamanho de uma castanha, depois de um melão, depois de uma bola de futebol, depois de um boneco de neve.

O rapaz tornara-se tão obcecado em entrar no livro de recordes que faltava frequentemente às aulas para poder passar o dia a *tirar macacos do nariz.*

De início, Joca ainda conseguia andar com a bola de ranho com ele. Quando se tornou demasiado grande e pesada, o rapaz limitava-se a rebolá-la rua abaixo.

Contudo, certa manhã, a caminho da escola, Joca atropelou acidentalmente o gato do seu vizinho, o Ginger, e a pobre criatura fundiu-se com a bola de ranho.

O macaco era tão pegajoso que Joca teve de rapar o pelo do gato para o conseguir descolar.

MIAU!!!

MMMIIIAAAUUU!!!

Agora, o rapaz mantinha a bola de ranho bem segura no seu quarto. Na altura desta história, a esfera de ranho (ou RANHO-ESFERA) era do tamanho de um asteroide. E parecia mesmo que tinha vindo do espaço.

Um caleidoscópio de verdes.

Verde-claro.

Verde-escuro.

Verde-verde.

Verde-não-tão-verde.

Mas, com novos macacos do nariz a serem apanhados, lambidos e atirados a cada minuto para a **RANHO-ESFERA** de Joca, ela tornava-se demasiado grande para o seu quarto. A cama e o guarda-roupa do rapaz estavam a ficar esmagados pelo tamanho e peso deste **ULTRAMACACO** de ar verdadeiramente maléfico.

Certa manhã, estava Joca a escavar a narina quando encontrou um macaco particularmente grande. Sem pensar duas vezes, colou-o à **RANHO-ESFERA**. Mas foi de mais, finalmente, e o rapaz ouviu o som de algo a partir-se.

TÓIM!

Era o soalho a chiar debaixo do enorme peso do verdejante **ULTRAMACACO**.

Joca correu para fora do quarto, desceu as escadas e entrou na cozinha. Olhou para o teto e viu rachas a atravessarem-no.

CRAC!

Depois, antes que conseguisse voltar a tirar mais um macaco, a **RANHO-ESFERA** partiu o teto e aterrou a seu lado.

PUM!

– Argh! – gritou o rapaz, coberto de pó e escombros. Quase tinha sido morto pelo seu próprio muco.

E agora o ranho estava literalmente a rolar e ia de encontro ao rapaz. Joca saiu de casa a correr, mas a

RANHO-ESFERA esmagou a parede…

PRÁS!

…e perseguiu o seu criador pela rua abaixo.

Os pais de Joca observavam da janela do quarto. Estavam de boca aberta, mas não emitiam qualquer som, tão chocados que estavam face a esta cena.

Por ser feita de macacos do nariz compactados, a **RANHO-ESFERA** era incrivelmente **PEGAJOSA**. E, por isso, apanhava tudo por que passava ao rolar:

Um pequeno **cão**,

uma **velhota** que passeava o pequeno cão,

uma **bicicleta**,

o **rapaz** que guiava a dita bicicleta,

um **corta-relva**,

o **jardineiro** que usava o dito corta-relva.

Pouco tempo depois, todas estas coisas giravam freneticamente pela estrada abaixo, presas à **RANHO-ESFERA**.

O macaco do nariz de Joca crescia a olhos vistos. Quanto maior ficava o macaco, mais rápido REBOLAVA.

Joca continuava a fugir, enquanto a **RANHO-ESFERA** apanhava um **marco do correio** e desenterrava uma **árvore**. Até um **carro** ficou lá colado.

Quando a **RANHO-ESFERA** (que não parava de crescer) rolou para cima de um autocarro cheio de pessoas e se colou a ele, Joca começou a entrar em pânico.

Ao ver as pessoas do autocarro a andarem à roda como se fossem visitantes num **PARQUE DE DIVERSÕES** temático (mas de ranho) digno de pesadelo, o rapaz percebeu que estava a correr para salvar a sua própria vida.

A **RANHO-ESFERA** tornara-se agora tão gigantesca que começava a apanhar **casas** ao rebolar. De início, apanhou uma **casa pequena**, depois uma **moradia**.

E com a **moradia**, a casa **pequena**,

    o **autocarro**, o **carro**, a **árvore**, o **marco do correio**,

o **corta-relva**, o **jardineiro** que usava o corta-relva,

        a **bicicleta**, o **rapaz** que guiava a bicicleta,

    o pequeno **cão** e, é claro, não nos podemos esquecer da **velhinha**

        que passeava o seu pequeno cão; todos colados

    à **RANHO-ESFERA**, ela crescia a um ritmo verdadeiramente

alarmante.

Joca tinha um plano. A única forma de sobreviver era ir para debaixo de terra. Aí, a **RANHO-ESFERA** não o conseguiria apanhar. Um pouco mais acima, o rapaz viu um escoadouro e correu na sua direção. Desesperado, puxou a grade com toda a força que tinha.

– Por favor, por favor, por favor! – rezou ele.

Os dedos escorregaram-lhe no metal. Estavam molhados e **encarquilhados** por terem estado enfiados no seu nariz durante o dia todo.

Conseguiu puxar a grade e saltar para as profundezas turvas mesmo a tempo.

SPLASH!

A **RANHO-ESFERA** rugiu por cima dele

BRRAM!

Joca respirou de alívio, num som que ecoou por todo o escoadouro. AH!

AH! AH! AH! AH! AH!

Quando sentiu que já era seguro subir, o rapaz trepou à superfície, coberto de porcaria da sarjeta. Joca viu a **RANHO-ESFERA** gigante a rolar no horizonte, apanhando tudo no seu caminho.

Um camião dos bombeiros, uma fila de lojas e até uma manada de vacas que pastavam felizes e contentes na vidinha delas, ocupadas com leves **MUGIDOS**.

"MUU!"

"MUU!"

"MUU!"

Ao ver a destruição em massa que a sua criação causara, Joca Ranhoca decidiu que, se calhar, era melhor não comentar com alguém que tinha sido ele o criador desta bola de ranho de **TERROR**. Com tudo o que tinha acontecido, ele estava disposto a deixar *Fräulein Ranhostein* ficar com o recorde do maior macaco do nariz do mundo.

Por isso, Joca seguiu tranquilamente rua abaixo em direção à escola. Era a primeira vez que lá ia havia semanas. Contudo, quando chegou aos portões da escola, apercebeu-se de que a sua escola, de facto,

já não existia.

Apenas se viam marcas escuras no recreio onde costumavam estar os pavilhões.

A **DEMONÍACA** bola giratória de Joca devia ter passado por ali e sugado todos os pavilhões da escola.

Tudo o que havia era um par de botas da chuva solitárias, no sítio onde costumava estar a cantina. As botas pertenciam à funcionária da cantina, a Sra. Chacina. Não havia dúvidas de que o **MEGAMACACO** a tinha apanhado, e também a todos os professores.

Joca deu um risinho.

– **Ha ha!** Pelo menos agora nunca mais tenho de ir à escola! – riu-se ele, sozinho no recreio, sentindo-se como o último homem à face da Terra.

Depois, quando estava prestes a virar-se para ir para casa (ou, pelo menos, para o que restava da sua casa), Joca ouviu um som atrás dele…

Tornava-se cada

vez mais alto,

um som

RETUMBANTE,

um som

trovejante,

um som

ENSURDECEDOR.

O chão tremia debaixo dos

pés do rapaz. Joca engoliu

em seco, com medo.

GULP!

Sabia perfeitamente o que era.

Quase não teve coragem para se virar para

trás e enfrentar aquela coisa. Mas tinha de o fazer.

Lentamente, virou o pescoço e viu que a enorme

RANHO-ESFERA devia ter orbitado à volta da Terra,

regressando agora em direção a ele!

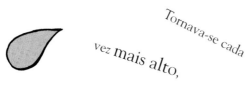

Tinha o tamanho de uma lua e apanhara vários monumentos na sua **épica** viagem. A Torre Eiffel, o Coliseu de Roma, a Ópera de Sydney, e o **Palácio de Westminster**, o **Taj Mahal**, a **Catedral de São Basílio**, uma pirâmide egípcia – estavam todos colados como pepitas de chocolate a sair de um gelado.

O Palácio de Buckingham também tinha sido arrancado do chão e agora rebolava, expondo *Sua Majestade, a Rainha* sentada na sanita, **vermelha** de irritação.

— gritou Joca, à medida que aquilo se aproximava.

O **MEGAMACACO** era agora tão **MEGATÁSTICO** que tinha tapado o sol. Uma sombra GIGANTE abateu-se sobre o rapaz e ele sentiu frio.

Fechou os olhos de horror, quando finalmente a **RANHO-ESFERA** rolou por cima dele e o apanhou do chão.

– NÃÃÃOOO!!!

O topo da cabeça do rapaz ficou instantaneamente fundida com a bola, quando esta continuou a girar novamente à volta da Terra.

Mas *Sua Majestade, a Rainha* estava tão zangada por a terem visto na sanita que mandou os guardas do palácio dispararem os canhões contra a **RANHO-ESFERA**.

– Abrir fogo!

A **bola de canhão** dispaaarouu em direção ao gigantesco macaco do nariz.

CAP

UUM!

A **RANHO-ESFERA**

explodiu

em pedaços

que começaram

a cair de volta

em direção à Terra,

devolvendo tudo e todos aos seus locais originais.

À exceção de **um** rapaz.

Joca continuava preso a um **grande** pedaço de ranho. Este bocado voou pelo ar, caindo em cima da **Catedral de São Paulo**.

Os pais de Joca visitavam-no **todos** os domingos e atiravam-lhe petiscos lá para cima. **Joca Ranhoca** continuou

preso à esfera

para o resto da **vida,**

de pernas para o ar,

enfiado no seu próprio

macaco

GIGANTE.

Que é, precisamente, o que te pode acontecer a TI, se tirares macacos do nariz.

Da próxima vez, **assoa-te**.

BÉ
Chulé

BÉ
Chulé

CONHECES alguma criança extremamente **imunda?**
Uma menina suja? Um rapaz que cheira mal? Por mais sujos ou
fedorentos que eles possam ser, nunca se poderão comparar a *Bé
Chulé*. Esta menina tinha orgulho em ser a criança mais suja do
mundo! Água e sabão eram elementos completamente estranhos
para Bé. Para onde quer que ela fosse, seguia-a uma enorme nuvem
de pó e sujidade e mau cheiro.

Escusado será dizer que **tudo** o que *Bé Chulé* tocava também ficava sujo. Os seus cadernos estavam marcados e salpicados com coisas *indescritíveis*. E apesar dos protestos da mãe, Bé recusava-se a deixar que lhe lavassem as roupas, por isso, em pouco tempo, também estas ficaram encrostadas com sujidade.

Contudo, a coisa mais suja na vida de Bé era o seu quarto. Apesar das súplicas da mãe para que ela arrumasse o quarto, Bé nunca, mas nunca, o arrumava.

A menina simplesmente
deixava ficar tudo no chão.
Era como se o seu
quarto fosse uma
lixeira privada.

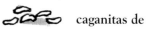

Com o passar do tempo, o **monte de sapatilhas malcheirosas,** lenços ranhosos, sanduíches de ovo meio-comidas e  caganitas de **hámster** (que se tinham tornado brancas e quebradiças*) chegava à altura dos joelhos de Bé.

A única forma que Bé tinha para chegar à sua cama nojenta era navegando pelo meio de toneladas de lixo. A carpete do quarto era uma memória distante: não se via há anos. Mas, por ser uma das PIORES crianças do mundo, Bé adorava viver em sujidade até aos joelhos.

Quanto mais sujo, melhor!

Agora, dêem-me um minuto para vos falar dos **pés** de Bé. Eram tão nojentos que pareciam os pés de um troll.

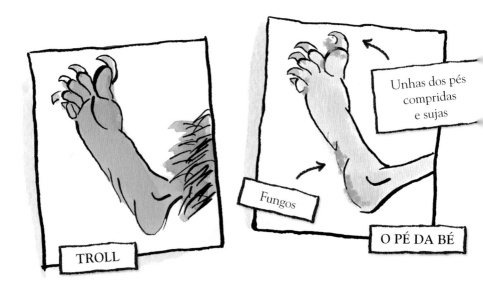

Unhas dos pés compridas e sujas

Fungos

O PÉ DA BÉ

TROLL

---

* Cocó, o hámster, desaparecera há muito.

Cada pé estava coberto de **fungos verdes**, com unhas compridas e encaracoladas que ela se recusava a cortar. Como resultado, os seus pés cheiravam ainda pior do que **queijo da serra** passado do prazo **há anos**. Quando Bé descascava as meias, ao fim do dia, levava-as ao nariz.

– Hmmmmmmmm! – suspirava ela de prazer.

Tanto eu como tu teríamos **gritado perante tal cheiro**, ou, no mínimo, teríamos **vomitado em projétil**. Mas Bé, não. Ela ficava extasiada por as suas meias serem as mais fedorentas do **mundo**. Depois, tal como com todas as outras coisas, Bé deixava-as simplesmente cair no topo da **montanha** (cada vez maior) de lixo, no chão do quarto.

— Por favor, arruma imediatamente o teu quarto! – suplicava a pobre mãe de Bé, que vivia num constante tormento.

A mãe orgulhava-se de manter a casa totalmente impecável.
Se uma única migalha de bolacha caísse à carpete, ia buscar o aspirador.
A sujidade do quarto de Bé era-lhe absolutamente horripilante.
Como poderia ela, uma senhora que tinha sempre uma jarra de flores frescas em cima da mesa da sala de jantar, dado à luz uma criança que escolhia viver num… **pântano?**

— Deixa-me em paz!
– costumava responder a Bé, soltando uma risada.

Ela sabia que a mãe (sempre imaculadamente arranjada, com um penteado perfeito e um colar de pérolas à volta do pescoço) detestava que ela falasse assim. Por isso, fazia de propósito para falar naquele tom todas, todas as vezes em que falava com a mãe.

— Filha! Proíbo-te que fales assim! – lamentava-se a mãe.

— Assim, COMO? – respondia maliciosamente Bé.

— Assim, tu sabes! Esse é um tom que não tem lugar nesta casa encantadora. Agora, minha menina, quero que arrumes imediatamente o teu quarto!

— DESAPARECE! – gritava de volta Bé.

Se a menina não **arrumava** o quarto, a mãe decidiu que ela *própria* o faria. Certa manhã, assim que Bé saiu para a escola, a mãe pôs o seu plano em prática. Subiu as escadas com a **manga** sobre o nariz e a boca (tal era o **CHEIRETE**), armada com luvas de borracha grossas e um rolo de 100 sacos do lixo cor-de-rosa perfumados.

– AO ATAQUE!

– gritou, como se estivesse a entrar para uma **batalha**.

Com toda a força que tinha, a mãe **atirou-se** contra a porta do quarto da filha.

– UF!

Mas a porta apenas abriu um bocadinho. A pilha de porcaria tinha crescido até à **altura da cintura**.

– **ARGH!** – gritou a mãe, espreitando pela frincha da porta e vendo o mar de imundície.

– **URGH!** – berrou, quando o fedor a atingiu em cheio no nariz.

O problema foi que, por mais que tentasse, a mãe de Bé **não conseguia** entrar no quarto da filha. A menina conseguia esgueirar o pequeno corpo pela frincha e surfar por cima do lixo. Para a mãe, isso era um feito **impossível** de alcançar.

A senhora estava prestes a desistir quando…

PLIM!

…teve uma ideia.

Mantendo a porta **aberta** com o sapato, voltou a descer as escadas para pegar no aspirador. Empurrou a longa mangueira do aspirador pela abertura da porta de Bé e premiu o botão.

BZZ!

A senhora ficou encantada

quando a mangueira começou

a **aspirar** coisas…

Um pacote inteiro
de leite achocolatado
rançoso.

Um penso rápido cheio de pus.

Um pedaço de queijo bolorento.

A mãe sorriu para si mesma. Quando a filha chegasse da escola, era provável que tivesse conseguido que o lixo chegasse só à altura dos **tornozelos**.

Nesse momento, o aspirador fez um terrível zumbido…

zUmZuMzUm!

… e depois ouviu-se o som de metal a ser esmagado. **CRANCH!**

O aspirador tremeu violentamente e explodiu!

BUUM!

A mãe ficou coberta da cabeça aos pés com todas as coisas que a máquina tinha aspirado.

– Que horror! Que horror! – gritou, ao ver-se coberta de **sujidade**, **PÓ** e **leite achocolatado** rançoso, entre outras coisas.

Dobrou-se para examinar o aspirador.

Tinha-se partido em pedaços.

Algo EXTREMAMENTE

grande e forte

devia tê-lo feito

despedaçar-se.

Haveria algo escondido pelo meio do lixo no quarto da filha capaz

de tal façanha?

– Está alguém aí? – perguntou a mãe.

Não houve resposta.

A senhora afastou o pensamento disparatado. O aspirador

devia ter-se autodestruído. A mãe cambaleou para a casa de banho,

desesperada por se limpar.

Quando Bé voltou da escola, a mãe ainda estava a tomar banho, o **vigésimo sétimo** daquele dia. Antes que a senhora pudesse dizer alguma coisa, a menina correu pelas escadas acima e **esgueirou-se** novamente para dentro do quarto.

Usando um velho tabuleiro de plástico de um restaurante de comida rápida, Bé **surfou** por cima do lixo até à cama. Foi então que descalçou as meias húmidas. Um par de meias que tinha sido usado centenas de vezes sem ter sido lavado. Bé ficou deliciada ao ver que já começavam a aparecer **fungos** nas meias.

Vasculhando as profundezas escuras da sua **imundície**, a menina encontrou outra meia que deixara cair ali há muitos anos.

Esta meia tinha rebentos de aspeto estranho a brotar dela – como se fossem vegetais disformes de sistemas solares distantes. Bé apercebeu-se de que a sua sujidade tinha atingido um nível tão **épico** que havia ali coisas a **crescer**.

Contudo, nada podia preparar a menina para o que estava

prestes a acontecer…

Naquela noite, deitada na sua cama imunda, entre os lençóis pegajosos de sujidade, notou algo a MOVER-SE na escuridão sombria.

Seria, certamente, a sua mente a pregar-lhe partidas.

Estaria a *sonhar*?

– DESAPARECE! – disse ela, no caso de estar mesmo algo ali escondido.

O que quer que fosse, voltou a mexer-se.

Os pedaços mais pequenos de lixo na superfície da porcaria moveram-se, como se algo **nadasse** por baixo deles.

Isto **não** era um sonho. Nem sequer era um pesadelo. Isto estava **mesmo** a acontecer. Havia algo vivo DEBAIXO do lixo do quarto da *Bé Chulé*.

Poderia ser um *rato*?

Não, aquilo parecia demasiado grande para ser um rato.

Talvez uma *barata* gigante?

Não, não se MEXIA rapidamente como uma *barata*.

E certamente não seria uma *cobra mortífera*.

Não, esta coisa não silvava…

Esta coisa rosnava.

GRRRRRRR!

Havia apenas uma explicação.

O barulho vinha de algum tipo de... **criatura.**

Uma criatura que nascera das profundezas escuras da porcaria da menina.

Uma criatura nunca antes vista pelo ser humano.

Numa tentativa desesperada de manter a coisa afastada, Bé saltou na cama até chegar a uma altura suficiente para conseguir pular para cima do guarda-roupa. Lá no alto estava guardada porcaria para uma ocasião especial.

Não interessava, pois precisava dela naquele momento.

BÉ CHULÉ

Com todo o ímpeto, atirou para o chão

embalagens de iogurte meio vazias,

uma série de côdeas de piza

e um saco de
estrume de elefante que
apanhara numa visita de
estudo ao jardim zoológico.

A seguir, Bé atirou-se do guarda-roupa, aterrando pesadamente sobre a nova pilha de lixo, tentando esmagar a coisa por baixo dela.

Mal sabia a menina que o que estava realmente a fazer era a alimentar a criatura.

Depois de, por alguns momentos, bater com os pés em cima do lixo, Bé deitou-se novamente na cama. Exausta, fechou os olhos.

Mas, naquele limite entre o sono e a vigília, Bé ouviu outra vez o rosnar.

GRRRRRR!

A menina sentou-se repentinamente na cama e gritou:

– PIRA-TE!

O que quer que esteja aí em baixo:

PODES PIRAR-TE?!

A mãe devia ter ouvido isto, pois foi a correr da casa de banho, a camisa de noite de folhos cor-de-rosa a esvoaçar atrás dela.

– BÉ? Está tudo bem aí dentro, querida?! – perguntou do outro lado da porta.

– Sim. PIRA-TE!

– Não, **não vou**, sua malcriada! Agora, diz-me, com **quem** estavas a falar? – exigiu ela saber.

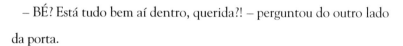

– CONTIGO! **PIRA-TE!!!**

Mais uma vez, a senhora tentou empurrar a porta do quarto. Mas a montanha de **lixo** estava ainda mais alta do que antes e era COMPLETAMENTE impossível abrir a porta.

– Amanhã, quero que arrumes o quarto assim que acordares! – declarou a mãe. Depois, apressou-se de volta à casa de banho para tentar esfregar do corpo o resto do leite achocolatado rançoso.

No quarto de Bé ouvia-se um som claro de mastigar.

NHAM! NHAM! NHAM!

Parecia que a criatura estava a devorar tudo o que apanhava.

BUUUURRRPPP!!!

Depois, pelo meio do mar de **porcaria**, emergiu finalmente…

O MONSTRO DO LIXO.

O monstro em si não era de descartar – era realmente aterrorizante. Chamava-se Monstro do Lixo porque era feito de lixo.

BÉ CHULÉ

Todas as partes do monstro eram feitas de algo que a menina deixara cair no chão do quarto.

Na cabeça do monstro havia duas orelhas que tinham

sido um par de **meias malcheirosas** de Bé.

Os olhos eram rodelas de chourição de uma **piza velha e nojenta**.

A boca do monstro era um hambúrguer encrostado de bolor.

O seu volumoso corpo era composto por muitas coisas,

desde um **equipamento de Educação Física húmido**

a **lenços ranhosos**, botas para a chuva **suadas**

e **doces meio sugados** cobertos de **pelo de cão**.

Tudo aquilo se mantinha no sítio com **repugnantes pensos rápidos**.

Era um cenário verdadeiramente MONSTRUOSO.

Que é o que se poderia esperar de um verdadeiro monstro.

— PIRA-TE! – gritou Bé.

Não conseguia acreditar no que estava a ver.

De alguma forma, o lixo tinha-se fundido para criar um ser **mutante**.

O monstro começou a andar de um lado para o outro no quarto da menina, apanhando o resto da sujeira que Bé tinha deixado cair ao chão.

Era uma tarefa fácil, pois as mãos do monstro eram enormes.
Cada mão-cheia que apanhava era depois enfiada na boca.

Velhas **revistas** húmidas, **chinelos** roídos pelo cão,
balões mirrados, uma **boneca** há muito esquecida e **meias sujas**.
Mãos-cheias e mãos-cheias de meias **sujas**.

O monstro adorava as meias sujas de Bé. Quanto mais
comia, mais crescia a uma velocidade incrível.
Em pouquíssimo tempo, o monstro ficou tão grande
que a sua cabeça bateu no teto.

BÓIM!

– Continua a comer,
monstro! – ordenou Bé, com um
sorriso presunçoso estampado no
seu rosto peganhento, pois
apercebera-se de algo…
A mãe tinha-lhe dito
milhares de vezes
para arrumar o quarto.
Agora, um monstro
estava a fazê-lo
POR ela!

Em segundos o quarto ficou completamente limpo e **arrumado**. Finalmente, era possível ver a carpete outra vez. E agora que o monstro lhe tinha limpado o quarto, Bé podia começar a *enchê-lo novamente de lixo*.

– MUITO obrigada – disse ela. – Agora, podes

PIRAR-TE!

Mas o monstro não foi embora. Oh, não. Ainda parecia **ESFOMEADO**. Virou-se de frente para a menina. Os olhos de chourição arrepiantes fitaram-na fixamente.

– *Nãããão* ooo! – implorou ela, enquanto o monstro avançava na sua direção.

E o facto de o monstro se mexer tão devagar ainda tornava as coisas mais arrepiantes.

POC. POC. POC.

– PIRA-TE! – gritou ela.

Era demasiado tarde. O monstro pegou em Bé e engoliu-a de **UMA SÓ VEZ**.

– BUUUUUUUUUURRRRRRRRRRP!!!!!!!!

– arrotou o monstro.
A *Bé Chulé* pagou
um altíssimo preço pela
sua **sujidade**. Um monstro
feito da sua própria porcaria
tinha-a devorado.
Por isso, da próxima
vez que um adulto te disser
para ARRUMARES
O QUARTO,

FÁ-LO!

Ou pode acontecer-te
o mesmo…

OS MEUS OLHOS CHORAM DO CHEIRETE

JONAS
LANÇA-BOLAS

AR DE TROÇA

BRAÇO LANÇADOR

BOLA DE NEVE

JONAS
LANÇA-BOLAS

De entre todas as PIORES CRIANÇAS DO MUNDO, há poucas que sejam mais travessas do que Jonas Cheung. Jonas era um rapaz que adorava arremessar **bolas de neve**. Ele ficava deliciado quando chegava o *frio gelado* do inverno e via os flocos de neve a cair do céu. Costumava correr para a rua para apanhar os minúsculos flocos brancos, esmagando-os e comprimindo-os com as mãos, transformando a neve numa **enorme** bola.

Uma bola de neve!

Depois, Jonas olhava, encantado, para a palma da sua mão. Estava na altura de fazer malandrices!

– HE! HE! HE! – costumava rir-se ele.

Agora tenho de te contar uma coisa importante: Jonas não era uma daquelas crianças que adoram lutas de bolas de neve. Numa luta de bolas de neve havia grandes hipóteses de ele próprio ser atingido por uma. E isso era algo que Jonas odiava.

Sentir os bocados de gelo a escorregarem pelo pescoço abaixo deixava-o a chorar…

BUÁ! BUÁ! BUÁ!

… apesar de ser precisamente isso que Jonas adorava fazer às outras pessoas. Este rapaz gostava que as lutas de bolas de neve fossem **unilaterais**. Ele é que atirava as bolas de neve e mais ninguém! E, para além disso, Jonas adorava planear ataques SURPRESA. Escondia-se atrás de um muro, numa árvore, ou debaixo de um banco de jardim.

Depois esperava que a sua vítima se aproximasse

e **PRÁS**!

Jonas atirava bolas de neve

a **tudo** e a **todos**!

À sua irmã mais nova, Gina…

PLOP!   – AI!

– HE! HE! HE!

A uma velhinha a passear o cão…

DONK!

– AHHHH!   – AU! AU!

– HE! HE! HE!

A um esquilo empoleirado num ramo de árvore…

PLOP!

– AI!

– HE! HE! HE!

JONAS LANÇA-BOLAS

À sua professora de piano a andar de bicicleta…

PLOP! – AI!

– HE! HE! HE!

À sua irmã Gina, mais uma vez…

– **PLOP!**

– PARA! Não tem piada!

– Para mim, tem! HE! HE! HE!

– HE! HE! HE!

Ao carteiro…

PLOP! – AI!

– HE! HE! HE!

Ao gato do vizinho…

PLOP!

MIAU!

– HE! HE! HE!

A uma das estimadas bonecas de Gina…

PLOP! TUMP!

– HE! HE! HE!

A um pássaro a voar…

PLOP!

– PIU! PIU!

– HE! HE! HE!

E até a um pobre marco do correio que estava quietinho na vida dele…!

– **PLOP!** TUM!

– HE! HE! HE!

É claro que Jonas tinha de atingir a sua pobre irmã com uma bola de neve ainda outra vez!

PLOP!

– AI! Acertaste-me no rabiosque!

– HE! HE! HE!

– Gostavas que eu te atirasse uma bola de neve ao rabo?

– Nunca há de acontecer!

– Eu vou vingar-me!

– Até essa altura, pega lá mais uma!

PLOP!

– HE! HE! HE!

Tal como a maioria das crianças malcomportadas, Jonas queria sempre MAIS, **MAIS**, **MAIS**! E, para ele, isso queria dizer MAIS, **MAIS** e **MAIS CAOS!**

Já era bem fixe atirar uma bola de cada vez, mas isso não chegava para Jonas. Como conseguiria ele atirar duas bolas de neve ao mesmo tempo?

Jonas era destro, mas começou a praticar lançar com a mão esquerda. Pouco tempo depois, conseguia atirar uma bola com cada mão ao mesmo tempo!

Isto queria dizer: **SARILHOS A DOBRAR!**

Ele conseguia atingir dois alvos ao mesmo tempo!

Gina e a sua boneca preferida.

PLOP!   PLOP!

– ARGH!

TUMP!

– HE! HE! HE!

Contudo, conseguir atirar duas bolas de neve em simultâneo continuava a não ser suficiente para Jonas. Por isso, ele fez algo bastante invulgar: começou a praticar segurar bolas de neve com os pés. Sim, com os pés!

Pouco tempo depois, aprendera a ficar deitado de costas e lançar bolas com ambos os pés e ambas as mãos

AO MESMO TEMPO!

Foi precisamente isto que Jonas fez certa tarde no jardim de sua casa. Deitou-se na neve à espera que a sua irmã e as três melhores amigas dela regressassem a casa da escola.

Isto ia ser uma estreia para Jonas!

SARILHOS A QUADRUPLICAR!

O rapaz estava deitado no chão, escondido atrás de um arbusto. Quando viu as meninas a entrarem pelos portões do jardim, atirou quatro bolas de neve ao mesmo tempo!

PLOP! PLOP! PLOP!

PLOP!

AHHH! ARGH! AIII! UIIII!

As três meninas tinham vindo brincar, depois da escola, com a coleção enorme de bonecas de Gina. Agora, fugiam aterrorizadas!

– AHHH!

Gina começou a bater com os pés no chão, furiosa com o comportamento do irmão…

PUM! PUM!

… e Jonas fez o que fazia sempre.

Esboçou um sorriso malicioso e soltou uma risada.

– HE! HE! HE!

Ainda que conseguir atirar quatro bolas de neve ao mesmo tempo fosse, de facto, um feito notável, continuava a não ser suficiente para o rapaz. Ele queria atirar mais bolas de neve em simultâneo do que alguma vez fora feito na história de atirar bolas de neve. O rapaz decidiu que queria alcançar o impossível...

Ele iria atirar 100 bolas de neve ao mesmo tempo! E o seu alvo seriam **todas** as pessoas da sua escola!

Jonas passara a odiar ir à escola desde que recebera um castigo por ter atirado bolas de neve às pessoas – incluindo professores. Sim, ele era malandro a esse ponto. Por isso, ele agora queria lançar uma bola de neve à cara da diretora da escola, a todos os professores **e** a todos os alunos, **em simultâneo!**

Sendo humano, Jonas não tinha mãos e pés suficientes para conseguir atirar 100 bolas de neve ao mesmo tempo. (Se a pessoa que estiver a ler este livro tiver 50 mãos, peço desculpa.)

Por isso, Jonas concluiu que tinha de inventar algo para conseguir pôr o seu plano em prática. Começou a **magicar** um aparelho que viria a tornar-se o **melhor lançador de bolas de neve da história mundial.**

No dia em que começa a nossa história, Jonas fez os primeiros esboços da sua engenhoca.

Ficou acordado durante toda a noite e, de manhã, a sua **obra-prima** estava pronta. Jonas chamou-lhe...

SUPERLANÇADOR

O **SUPERLANÇADOR** assemelhava-se um pouco a uma catapulta medieval.

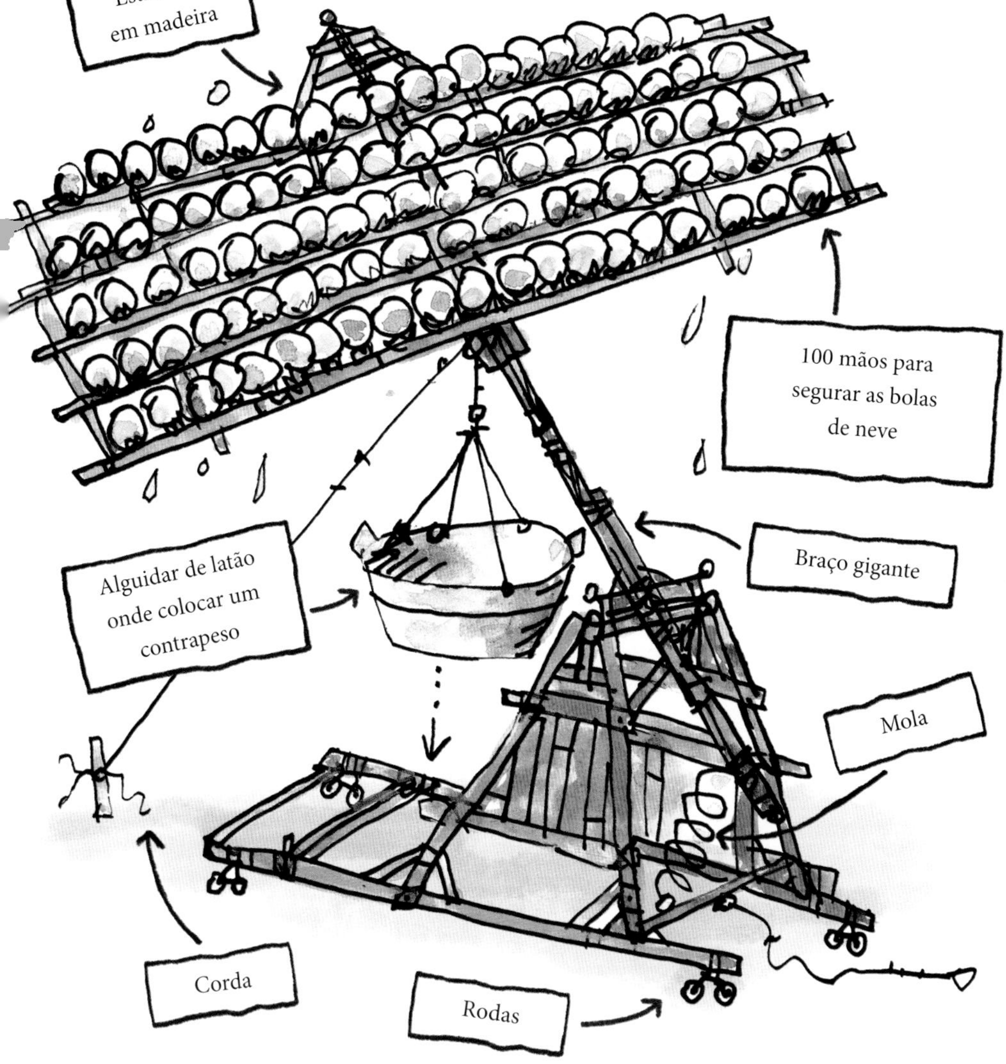

Estrutura em madeira

100 mãos para segurar as bolas de neve

Braço gigante

Alguidar de latão onde colocar um contrapeso

Mola

Corda

Rodas

Teoricamente, mal ele soltasse o contrapeso do alguidar de latão, as 100 bolas de neve sairiam disparadas dos seus suportes.

Agora vinha a parte mais complicada. Jonas tinha de construir esta gigantesca engenhoca. Mas onde é que um rapaz de 10 anos iria arranjar todas as coisas de que precisava?

Em primeiro lugar, a madeira para a estrutura da invenção veio "emprestada" do barracão de jardim do pai. Jonas tinha 100 por cento de certeza de que o pai lhe diria que **não** se ele lhe perguntasse se poderia destruir o seu barracão de jardim e usar a madeira. Por isso, o rapaz simplesmente não lhe perguntou. Genial. Em vez disso, Jonas serrou o barracão aos bocados.

PRÁS! PRÁS! PRÁS!

Depois, uniu as tábuas de madeira para construir a estrutura do seu **SUPERLANÇADOR**.

As rodas a serem colocadas por baixo da invenção vieram "emprestadas" dos patins da sua irmã. Uma vez mais, era melhor nem perguntar se podia! Por isso, ele nem perguntou. A vida era muito mais simples assim.

A seguir, Jonas precisava de corda. Por isso, trouxe a corda do estendal da mãe "emprestada", ainda com as cuecas do pai dele penduradas.

Depois disso, Jonas viu um brinquedo da irmã: uma **mola mágica**. Seria a mola perfeita para o seu **SUPERLANÇADOR**! Gina estava prestes a colocar a mola mágica a saltar pelas escadas abaixo quando o irmão apareceu ao fundo das escadas.

– Preciso da tua **mola mágica**! – anunciou ele, pulando escadas acima e agarrando numa das pontas da **mola**.

– LARGA! – gritou Gina.

– **LARGA TU!** – berrou Jonas, descendo as escadas, ainda a segurar a mola.

– A **MOLA** É MINHA! – gritou ela.

– Dá-me a **mola** já!

– E se não der?

– Se não deres, eu arranco-ta das mãos! – afirmou ele.

– Então é isso mesmo que vais ter de fazer, porque eu não a vou largar! – mentiu ela.

Gina tencionava largar a **mola**, mas tinha de escolher o momento ideal e isso seria

quando a mola estivesse completamente esticada… E aí é que ia **doer**!

– EU VOU ARRANCAR-TE ESSA **MOLA** DAS MÃOS! – berrou Jonas.

– ANDA LÁ, ENTÃO!

– TRÊS! DOIS! UM! TOMA!

Mal Jonas puxou a mola com muita força, Gina largou-a. A **mola** mágica disparou na direção do rapaz.

TÓIM!

E atingiu Jonas em cheio no nariz!

PRÁS!

– Aiiiiii! Por que é que fizeste isso? – queixou-se Jonas.

– Pensei que querias a minha **mola mágica**!

– Eu queria, mas… esquece!

– Hi! Hi! Hi! – riu-se Gina.

– He! He! He! – riu-se Jonas para si mesmo. Só ele sabia as TRAVESSURAS que andava a aprontar.

Agora, apenas faltava uma última coisa necessária para terminar o **SUPERLANÇADOR**.

As 100 mãos.

Mas onde é que ele as iria arranjar? Jonas tinha apenas duas e era bastante afeiçoado a elas.

Parecia ser a parte mais difícil de todas.

Depois Jonas teve uma ideia.

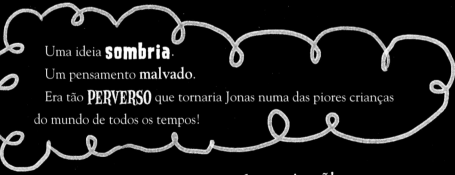

Uma ideia **sombria**.

Um pensamento **malvado**.

Era tão **PERVERSO** que tornaria Jonas numa das piores crianças do mundo de todos os tempos!

A coleção de bonecas da sua irmã!

Gina tinha muito orgulho na sua coleção de 50 bonitas bonecas.

E mantinha-as em destaque em prateleiras no quarto.

Assim, nessa noite, quando Gina estava já a dormir profundamente, Jonas entrou pé ante pé no quarto dela.

Retirou as bonecas das prateleiras, uma por uma, e levou-as para o seu quarto. Depois, trancou a porta do quarto e pegou numa tesoura afiada.

Ora bem, isto não é aconselhado a pessoas impressionáveis, mas Jonas fez algo tão horrífico que quase nem te consigo contar o que foi. (Quase.)

Sim, adivinhaste.

Jonas cortou as mãos às 50 bonecas!

RASG! RASG! RASG!

Pouco tempo depois, o rapaz malvado tinha na sua posse 100 pequenas mãos de plástico!

A seguir, correu lá para fora com as mãos. Agora só tinha de as prender ao seu **SUPERLANÇADOR**!

Depois de colocar todas as mãos no sítio, Jonas deu um passo atrás para admirar a sua criação genial. Então, apercebeu-se de que se tinha esquecido de uma última coisa importantíssima.

– O contrapeso! – exclamou ele.

Jonas teria de colocar um contrapeso antes de carregar o **SUPERLANÇADOR** com bolas de neve. Quando o contrapeso fosse retirado, a mola seria libertada e todas as bolas de neve arremessadas!

Jonas correu pelo jardim à procura de algo que fosse suficientemente pesado.

Um vaso? Não.

Um balde do lixo? Não.

Um bebedouro para pássaros? Não.

Jonas olhou para a janela da irmã. O rapaz tinha quase a certeza de que tinha visto a cortina dela a mexer-se, mas agora estava imóvel. Talvez tivesse visto mal...

Depois, como se fosse um relâmpago, uma ideia atravessou-lhe a mente!

ZAP!

É ISSO! Gina daria um contrapeso **perfeito**!

Assim, Jonas subiu de mansinho pelas escadas acima e abriu a porta do quarto da irmã.

A menina ressonava agora muito alto.

– ZZZ! ZZZZ! ZZZZZ!

Jonas achou isto um pouco estranho, já que nunca ouvira a sua irmã a ressonar antes. Não interessava. Colocou Gina por cima do ombro e transportou-a escadas abaixo. Depois, colocou-a dentro do alguidar de latão.

TUMP!

Agora que já tinha o contrapeso perfeito, Jonas estava pronto a entrar em AÇÃO!

– Ainda bem que ela não acordou! – silvou ele para si mesmo, completamente estupefacto.

Gina continuou a ressonar, sentada no alguidar.

– *ZZZZZ! ZZZZZZ!*

Jonas começou a apanhar punhados de neve fofa do jardim.

A seguir, colocou uma bola de neve em cada uma das mãos da sua invenção.

Pouco tempo depois, tinha já a sua coleção de 100 bolas de neve!

A seguir, Jonas empurrou o seu **SUPERLANÇADOR** até à escola, onde chegou supercedo.

Jonas entrou pelos portões da escola, atravessou o recreio vazio e escondeu a sua invenção maléfica atrás dos barracões de arrumação da escola. Pouco tempo depois, o recreio começou a encher-se de alunos e de professores que chegavam para o dia de aulas.

Quando o recreio estava já cheio de gente, Jonas começou a falar com uma voz muito **grossa** de adulto, gritando:

– DAQUI FALA O INSPETOR DA ESCOLA, PEÇO A TODOS OS ALUNOS E PROFESSORES PARA SE REUNIREM NO CENTRO DO RECREIO PARA UM ANÚNCIO IMPORTANTE!

Para grande surpresa de Jonas, todos fizeram o que ele pediu. Bem, eles não eram malandros como ele.

O seu plano diabólico estava a resultar às mil maravilhas.

Estavam todos prestes a levar com BOLAS DE NEVE!

– HE! HE! HE!

De forma astuta, Gina abriu um olho. Era claro pelo brilho no seu olhar que ela estivera acordada todo este tempo. A menina estava a aprontar alguma! Estava à espera do momento perfeito para agir!

Quando o irmão olhou na sua direção, ela fechou o olho e voltou a ressonar.

- **ZZZZZZZ! ZZZZZZZ!**

Jonas empurrou o seu **SUPERLANÇADOR** (e a sua irmã) para o recreio.

Cem pessoas estacaram, de queixos caídos e em choque. Mas que coisa bizarra seria aquela?

Pedaços de madeira?

Uma corda de estendal com cuecas ainda dependuradas?

Uma **mola** maluca?

Uma miúda de pijama a ressonar dentro de um alguidar de latão?

Rodas de patins?

E, o mais estranho de tudo, 100 mãos de plástico, cada uma delas segurando uma bola de neve?

Toda a gente no recreio estava boquiaberta. Jonas colocou o seu **SUPERLANÇADOR** no sítio certo. Alunos e professores estavam agora ao alcance das bolas de neve. A única coisa que Jonas tinha de fazer era soltar o contrapeso. Então o braço gigante seria impulsionado para frente e…

PLOP! PLOP! PLOP! 100 vezes!

Todos iam ser atingidos por uma BOLA DE NEVE.

– HE! HE! HE!

Mas Gina tinha um plano diferente. A menina abriu os olhos e gritou para a multidão:

– CORRAM! CORRAM! FUJAM! VÊM AÍ BOLAS DE NEVE!

E foi precisamente isso que eles fizeram: correram!

– GINA! ESTÁS ACORDADA! – rugiu Jonas, furioso.

– És tão espertinho… – ronronou Gina.

– O que estás a fazer? – exigiu saber ele.

– Vou vingar-me pelo que tu fizeste às minhas lindas bonecas.

– M-m-mas…!

– Não há mas, nem meio mas, Jonas. Está na altura do feitiço se virar contra o feiticeiro! – disse ela.

Jonas começou a fugir, mas, sem pensar, correu mesmo direto à linha de fogo.

Gina saltou para fora do **SUPERLANÇADOR**.

TÓIM!

A **mola** maluca encolheu-se e 100 bolas de neve foram lançadas ao ar.

SUICH!

Aterrado, Jonas viu 100 bolas de neve a voarem a alta velocidade na direção dele.

ZUUUM!

As bolas de neve atingiram-no em simultâneo!

PLOP! PLOP! PLOP!

– AHHHH! – gritou ele.

Não é propriamente como se alguém o conseguisse ouvir, já que ele agora estava preso dentro de uma bola de neve gigante!

– HA! HA! HA! – riram-se todos. Gina rebolava no chão, às gargalhadas.

Jonas estava **furibundo**. Ele odiava ser atingido por bolas de neve e agora estava preso dentro de uma. O rapaz estava congelado numa bola de neve **gigante**. Tentou a todo o custo libertar-se, mas isso fez com que enorme bola de neve começasse a rebolar…

ZUUUM!

Quanto mais rebolava, mais neve apanhava do chão do recreio.

Começou a CRESCER

e a **CRESCER**

e a **CRESCER**.

ZUUUM!

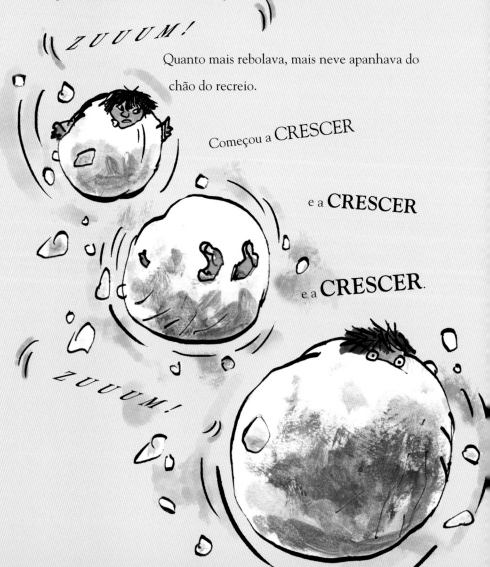

Ora bem, Gina até podia achar o seu irmão extremamente chato, mas ela não queria que ele ficasse preso dentro de uma bola de neve gigante para sempre.

– VAMOS TIRÁ-LO DALI! – gritou ela.

A multidão de pessoas no recreio começou a perseguir a bola de neve.

Todos correram para a frente da bola de neve e tentaram empurrá-la para trás, mas, em vez de parar, a bola de neve continuou a rebolar na direção oposta.

ZUUUM!

Quanto mais a bola de neve rebolava, cada mais neve do chão apanhava e ficava cada vez MAIOR!

Estava agora maior do que um balão de ar quente. O pior pesadelo de Jonas tinha-se concretizado! Para piorar tudo, a bola de neve gigante dirigia-se agora para o SUPERLANÇADOR!

Gina saltou para fora do caminho.

BÓIM!

A bola de neve atingiu o **SUPERLANÇADOR**
em cheio!

PRÁS!

Tudo explodiu em mil bocadinhos!

BUUUM!

Jonas aterrou no recreio.
TUMP!

JONAS LANÇA-BOLAS

Estava congelado como se fosse um **gelado**.

Por fim, Jonas, o lança-bolas, teve o que merecia!

– HA! HA! HA! – riram-se todos na escola.

Jonas foi colocado ao lado de um aquecedor e só descongelou no fim das aulas.

É claro que Gina não se ia esquecer do que acontecera assim tão facilmente. Para Jonas se redimir, ela obrigou-o a…

Reconstruir o barracão do jardim…

Pendurar o estendal…

Lavar e passar a ferro todas as cuecas do pai…

Reparar os patins dela…

Comprar-lhe uma **mola** maluca nova…

E, o mais importante de tudo, colar todas as mãos das bonecas da sua coleção.

Depois disto, Gina obrigou Jonas a fazer uma promessa.

– Prometo nunca mais voltar a atirar uma bola de neve! – anunciou ele.

– Obrigada, Jonas – replicou Gina.

– Agora, se não te importas, vou só dar ali um salto à loja para comprar um saco gigantesco de **BALÕES DE ÁGUA**!

– NÃOOOOOO! – gritou ela.

– **HE! HE! HE!** – riu-se ele.

Bem, o que esperavas? Não é por nada que Jonas era uma das piores crianças do mundo!

ROSA
Ventosa

ERA UMA VEZ uma menina chamada **Rosa Ventosa**.

Desde bebé, Rosa descobrira que possuía um talento incrível para soltar **gases**.

Puns, traques, **GAITAS GASOSAS**, bufas, sinfonias da sanita, pantufinhas, **ARROTOS DE RABIOSQUE**, pusetes, EXPLOSIVOS, FALSETES,

– o que quer que lhes chamassem, Rosa deliciava-se em soltá-los.

A menina era tão boa a dar traques que podia competir, defendendo a honra do seu país*.

Os gases de Rosa manifestavam-se em diferentes formas e tamanhos. A menina conseguia produzir uns SILENCIOSOS, uns **RUIDOSOS**, uns **ensurdecedores**, uns l o n g o s, uns CURTOS, uns que faziam ra-ta-ta-ta-ta, tal como uma metralhadora, ou até uns que pareciam explosivos.

O talento de Rosa chocava qualquer pessoa que tivesse a infelicidade de estar perto dela. Mas a menina era malandra e adorava imensamente o caos que os seus gases causavam. Davam-se DEBANDADAS em supermercados, BALBÚRDIAS em igrejas e PANDEMÓNIOS em pastelarias. Era habitual as pessoas acabarem espezinhadas quando tentavam escapar ao cheiro.

*Isto se houvesse, na altura da impressão deste livro, uma competição internacional que atribuísse medalhas para traques particularmente ruidosos e malcheirosos – infelizmente, não havia.

Rosa consumia **intencionalmente** comida que soubesse que iria fazer o seu rabiosque arrotar. Devorava as seguintes coisas em quantidades **gigantescas**:

Feijão cozido

Sumo de ameixa

Figos secos

Papas de aveia

Ketchup

Sorvetes

Nabos

Puré de ervilhas

Milho doce

Ovos recheados

Refrigerantes

Beterrabas

Couve

Sopa de lentilhas

Rabanetes

Gratinado de couve-flor

Bananas
(já pretas)

Cebolas cruas

Couves-de-bruxelas

Molho de natas

Na escola, as professoras costumavam mandar Rosa sair da sala, devido às suas *"explosões"*. Rosa argumentava que tinha sido um acidente, mas, na verdade, fazia-o de propósito.

Sempre.

Fosse por o barulho ser tão perturbador ou por o cheiro ser tão intenso, a sala de aula tinha de ser evacuada. E Rosa era chamada ao gabinete da diretora, onde lhe era passado um severo ralhete.

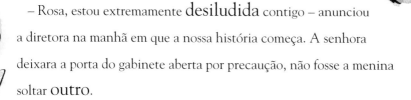

– Rosa, estou extremamente desiludida contigo – anunciou a diretora na manhã em que a nossa história começa. A senhora deixara a porta do gabinete aberta por precaução, não fosse a menina soltar outro.

– Desculpe, senhora diretora – disse Rosa, com um risinho.

– Esta é a 12.ª vez esta semana que um professor te manda ao meu gabinete. E ainda é só terça-feira!

– Eu pedi desculpa!

– Pedir desculpa **não** chega! Hoje, a Professora Prisma teve de te mandar sair da aula de Matemática por fazeres *"um barulho como um trovão"*. Ontem, a tua pobre professora de História, a Professora Fedra, chegou a desmaiar dentro da aula, por causa do fedor, e teve de ser levada à enfermaria.

– Acho que foi a Fedra quem fez o fedor – sugeriu Rosa, com novo risinho.

– Para tua informação, é Professora Fedra que se diz. E há 20 anos que a Professora Fedra trabalha nesta escola. E nunca vi a nossa cheirosa professora libertar algo com fedor. E agora, que tens tu a dizer em tua defesa?

Um pensamento maléfico disparou pela mente da menina.

PPPFFFFFF!, ouviu-se.

Houve um pequeno interregno enquanto o **aroma fedorento** flutuava através da sala. Por fim, o **CHEIRO** negro e sujo serpenteou pelas narinas da diretora acima. A senhora cobriu apressadamente a boca e o nariz com um lenço.

– Sua criança malvada! – gritou ela, enquanto **Rosa Ventosa**

abafava um riso. – Para a rua! Sai imediatamente do meu gabinete!

    – A diretora empurrou a menina para fora da divisão o mais rápido

que pôde. – Sai daqui! Sai! Fora!

    Ao dirigir-se para a porta, Rosa soltou um *pequeno pantufinhas*

na direção da senhora.

    – Mais um som e

és expulsa!

Percebeste?

    EXPULSA!

– berrou a diretora, fechando com

violência a porta do gabinete.

Rosa ficou novamente sozinha no corredor. Sentindo-se bastante contente com ela própria, foi a saltitar pelo corredor, soltando *bufas* pelo caminho.

PFF! PFF! PFF! PFF!

Rosa não queria regressar à aula de Matemática, por isso procurou uma sala vazia onde se pudesse esconder até ao intervalo. Entrou na sala de música. Havia uma série de instrumentos à disposição para serem dedilhados, tocados ou soprados.

Sem surpresas, Rosa sentiu-se atraída pelos instrumentos de sopro. *O saxofone, a trompeta, o trombone, a tuba* – todos brilhavam orgulhosamente nos seus suportes. O maior de todos era a tuba e Rosa começou a andar lentamente na sua direção, como se estivesse em transe. Tanto quanto soubesse, a menina não tinha dotes musicais, por isso, quando soprou no instrumento, o que dele saiu foi um patético som ribombante.

Quando estava prestes a desistir, Rosa teve um pensamento malicioso. Colocou a ponta da tuba à frente do seu rabiosque e soltou **gases** na sua direção com

toda a força que tinha.

Uma longa **nota** grave saiu da tuba.

DUUUUUUUUUuuuuuuuuuuuuu...

Agradavelmente surpreendida
com o **som**, Rosa tentou outra vez.
Desta vez tentou três notas agudas,
numa sucessão rápida.

DII **DAA!** DII **DAA!** DII **DAA!**

A menina começava a **habituar-se** ao instrumento.

Pouco depois, começou a **juntar** notas em algo parecido com uma
melodia. Não era uma obra-prima da música clássica, mas dava a
impressão de *JAZZ improvisado*.

DUU **DUM** DUU **DUM** DII **DAA** **DUM!** **DAA**

Rosa começou a rodopiar pela sala com a tuba no rabiosque, deliciada com esta descoberta. O som que ela fazia era maravilhoso.

DUU DUM DUU DUM DII DAA DUM DUU DUM DUU DAA DUM DII DAA DII DUM DAA DUM!!!

O professor de Música, o Professor Tinido estava a passar pelo corredor. A música fê-lo parar abruptamente. Em todos os seus anos a dar aulas, nunca ouvira um aluno a tocar de maneira tão soberba. Ficou com lágrimas nos olhos. Mas quando abriu a porta para a sala de música, sentiu o *cheirete*.

A princípio, o professor ficou **horrorizado** com o que viu: um dos seus **adorados** instrumentos a ser tocado pelo rabiosque flatulento de uma criança. Estava prestes a gritar para que Rosa parasse, quando a beleza pura da música produzida o conteve.

A música disparava e o seu coração também. Esta jovem menina era um **prodígio** musical. Poderia tornar-se numa das grandes mentes musicais da história, tocando em salas de concerto esgotadas por todo o mundo! E o Professor Tinido seria lembrado como o humilde professor que descobrira esta **superestrela** musical.

– **Rosa!** – exclamou o professor.

– **És um génio!**

– É apenas o meu **rabiosque** a dar bufas, professor – respondeu a menina.

– Eu sei. Mas, por favor, solta mais desses *belos traques*. O som que eles fazem é **magnífico!**

– Se o professor acha…

Nessa noite, o professor de Música foi direto à casa de **Rosa Ventosa**, para falar com os pais dela sobre o seu **grandioso plano**. Os pais ficaram **extasiados** por saber que o duvidoso "dom" da filha podia finalmente ser aproveitado, e ainda mais extasiados ficaram porque isso iria tirá-la de casa. Assim, já não teriam de ver televisão com **molas** no nariz.

Na manhã seguinte, o Professor Tinido deu à menina um presente muito especial: uma tuba **novinha** em folha.

– E agora, Rosa – começou o Professor Tinido –, preciso que pratiques, **pratiques** e continues a praticar até o teu rabiote ficar dormente!

– Sim, professor!

– Reservei a melhor sala de **concertos** do mundo para podermos lançar a tua **brilhante** carreira!

O ROYAL ALBERT HALL!

PFF!, fez o rabiosque da menina.

– Fizeste de propósito? – perguntou o professor de Música.

– Não, professor, são os **nervos**.

O Professor Tinido estava tão entusiasmado com o talento da sua discípula que começou a convidar os **maiores** compositores e maestros de todo mundo para o concerto de estreia. Até convidou membros da realeza – o Duque e a Duquesa de *Aqui e Ali*.

Entretanto, Rosa fez tudo o que o Professor Tinido pediu. Todas as tardes, a seguir às aulas, passava horas na sala de música a praticar tuba. Havia tanto **gás tóxico** na sala que a tinta começou a descascar das paredes, para deleite da menina. E a sua **grande** noite aproximava-se RAPIDAMENTE...

*   *   *

Finalmente, o grande dia chegou. **Rosa Ventosa** ia dar o seu concerto de estreia no ROYAL ALBERT HALL.

ESTA NOITE
no
ROYAL ALBERT HALL
PROF. TINIDO APRESENTA
ROSA
DOS VENTOS
UM PRODÍGICO MUSICAL

Nos bastidores, no enorme camarim de Rosa, faziam-se as últimas preparações. A menina devorava, satisfeita, todas as comidas produtoras de gás que conseguia.

Papas de aveia

Feijões

Figos secos

Puré de ervilhas

Gratinado de couve-flor

Ovos

Sopa de lentilhas

LENTILHAS

Sumo de ameixa

Couve

Molho de natas

AMEIXA

foram todos misturados

numa **panela** gigante, antes

de serem devorados.

Rosa tinha de se certificar de que teria **gases** suficientes para todo o concerto, por isso rematou tudo com uma enorme `garrafa de refrigerante`.

A sua barriga estava agora a

borbulhar, repleta

de ar.

– Não é fantástico? Parece que vou explodir, professor! – disse ela. – Terei **gases** suficientes para poder tocar durante horas – acrescentou, subindo excitadamente para cima de um trampolim. Depois de iniciar os saltos, começou a contar.

Trezentos!

Duzentos e noventa e nove!

Duzentos e noventa e oito!

A cada

salto que dava,

uma minúscula bufa aguda

escapava-se do seu rabiosque.

BÓ₁M!

BÓ₁M!

BÓ₁M!

Depois de saltar durante mais de uma hora, a comida e a bebida tinham sido **bem misturadas** na barriga da menina (ou mal misturadas, dependendo de como **encararmos** esta situação).

Entretanto, todos os distintos convidados tinham-se sentado no auditório. Até o Duque e a Duquesa de *Aqui e Ali* tinham vindo – ele, com um fraque de veludo, ela, de vestido de noite e uma tiara de diamantes na cabeça.

As luzes foram reduzidas e um foco de luz fixou-se no Professor Tinido, quando ele subiu ao enorme palco do ROYAL ALBERT HALL.

– Vossas Excelências, minhas senhoras e meus senhores, bem-vindos a esta noite muito especial. Hoje, irei apresentar-vos a minha descoberta **musical**. Uma menina que, há apenas um mês, nunca tocara uma nota de música na vida!

Ouviu-se um suster de respiração da plateia. Não acreditavam no que ouviam.

– Por favor! Por favor! – pediu o Professor Tinido por cima dos murmúrios cada vez mais altos.

– Não ficarão desiludidos. Esta jovem menina é uma das grandes tocadoras de JAZZ improvisado em TUBA da nossa era.

Não – DE TODOS OS **TEMPOS!**

A plateia rebentou num aplauso ruidoso. O Professor Tinido sorriu e fez uma pequena vénia, antes de continuar.

– Senhoras e senhores, apresento-vos…

ROSA VENTOSA!

As pessoas da plateia abanaram a cabeça, incrédulas, à medida que a menina entrava em palco. Haveria certamente algum engano…

ROSA VENTOSA

Esta criança era demasiado **PEQUENA**

para ser uma grande tocadora de tuba.

Rosa sorriu e fez uma **vénia**. Ao fazê-lo, um pequeno *pum* punzou do seu **rabiosque**. O Professor Tinido observava nervosamente do lado do palco. Felizmente, por ser à boca do palco, ninguém pareceu ouvir, apesar de um dos trabalhadores dos bastidores ter **desmaiado**.

De seguida, Rosa virou-se e colocou a tuba no **rabiosque**, pronta a soltar *gases* na sua direção.

AHHH.

A plateia ficou **escandalizada**. Nunca tinham visto algo tão grosseiro. E ainda por cima, no ROYAL ALBERT HALL. Que não é apenas uma imensa sala de concertos, é uma sala digna de *realeza*.

Por momentos, parecia que ia **rebentar** um motim.

Rosa olhou para o Professor Tinido, que gesticulava freneticamente para que a menina começasse.

Por isso, ela começou.

De imediato, a doce música encheu a sala. A plateia ficou tão chocada que caiu em silêncio. O som que **Rosa Ventosa** produzia era de uma **beleza** indescritível. Depois de apenas algumas notas, o auditório ficou em transe. Rosa Ventosa tinha-os a todos na palma do seu **rabiosque**.

O Professor Tinido tinha a certeza de que este era um momento na história da música do qual o mundo **nunca** se iria esquecer.

Contudo…

... depois de toda aquela comida e do refrigerante (e, é claro, de saltar para cima e para baixo no trampolim), os gases de Rosa estavam particularmente intensos.

O cheiro era tão nauseabundo que QUEIMAVA as narinas assim que entrava no nariz.

Escusado será dizer, caro leitor, que este é o momento da história em que as coisas começaram a correr horrivelmente mal.

ROSA VENTOSA

Subitamente, o Professor de Música notou que as pessoas na plateia **definhavam uma** por **uma**, como flores mortas. **Primeiro,** foi a primeira fila da frente,

a do Duque e da Duquesa,

depois a segunda fila,

depois a terceira.

o **fedor** atingia-os como um maremoto.

Rosa continuava a tocar, forçando mais gases pelo rabiosque. Em pouquíssimo tempo, toda a plateia tinha desmaiado.

O Professor Tinido correu para o palco, tentando parar Rosa, mas o cheiro atingiu-o, fazendo-o cair do palco e em cima de um piano no fosso da orquestra.

BLÉM!

Subitamente, Rosa apercebeu-se de que,

por mais que QUISESSE, pura e simplesmente

NÃO CONSEGUIA **PARAR** DE SOLTAR GASES.

Até este dia tinha sempre conseguido soltar

puns quando lhe apetecesse.

Mas agora o seu

rabiosque explodia

descontroladamente

e a sua barriga borbulhante

EXPANDIA a um

ritmo alarmante.

Nada podia

IMPEDIR os

gases de saírem.

No seu rabiosque

estava prestes a

ter início uma guerra

NUCLEAR!

Durante alguns segundos instalou-se um silêncio sinistro, até que…

Rosa soltou TANTO ar e tão rapidamente que disparou como um foguetão.

SUICH!

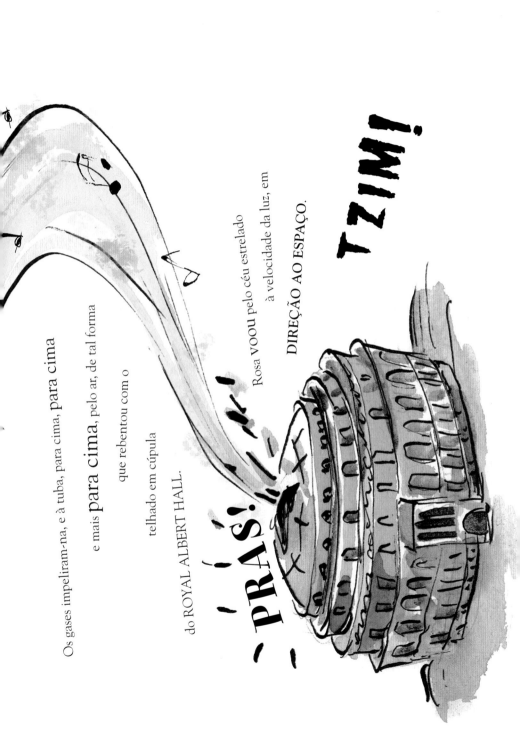

Os gases impeliram-na, e à tuba, para cima, para cima, para cima

e mais para cima, pelo ar, de tal forma

que rebentou com o

telhado em cúpula

do ROYAL ALBERT HALL.

Rosa VOOU pelo céu estrelado

à velocidade da luz, em

DIREÇÃO AO ESPAÇO.

TZIM!

~ PRÁS!

Lá em cima, na **Estação Espacial Internacional**, os astronautas escreveram nos seus relatórios que tinham escutado um impressionante *JAZZ improvisado*. Pensando que pudesse ser vida alienígena a tentar comunicar com eles, vestiram os fatos especiais e saíram da estação, para observarem, de bocas abertas e em choque…

uma menina a deslocar-se
com uma tuba no traseiro e um olhar
de pânico estampado no rosto.

Foi a última vez que a **Rosa Ventosa** foi vista.

Mas então, qual é a moral da história, perguntam vocês?
É que **soltar gases** não tem
piada nenhuma. E é por isso que eu jamais
escreveria uma história sobre o tema.

BETO
Correto

BETO CORRETO TINHA CHEGADO aos 12 anos de idade sem sorrir uma única vez. O rapaz adorava estar sempre muitíssimo sério. Era demasiado **pomposo** para se envolver em algo que pudesse ser considerado **"DIVERTIDO"**. Alegria e risos eram conceitos estranhos para ele. Nunca via desenhos animados, ou jogava jogos, ou ia a festas de anos.

As outras crianças da escola tentavam incluí-lo, mas Beto preferia estar sozinho, imerso em passatempos incrivelmente aborrecidos.

Tinha uma coleção inigualável de

aparas de lápis

e, aos fins de semana, fotografava SEMÁFOROS, colando depois as fotografias numa série de álbuns intitulados Semáforos 1-217.

Contudo, o passatempo favorito de Beto era um jogo de adivinhas que ele próprio inventara, no qual tentava adivinhar os diversos tipos de metal que compunham vários objetos.

– Mãe, creio que essa dita torradeira foi manufaturada a partir do metal aço – declarou certa manhã o rapaz, sentado na cozinha com a pobre da mãe. As roupas de Beto eram um verdadeiro uniforme.

Usava sempre os mesmos sapatos cinzentos, calças cinzentas e camisa cinzenta abotoada até ao colarinho.

Ao contrário de **Beto Correto**, a mãe era uma alma alegre. A senhora era grande e cheia de vida, vestia roupas coloridas com vistosos padrões florais. Contudo, na sua face apareciam cada vez mais rugas de preocupação, por nunca ter visto o filho rir ou sorrir.

Pegou, diligente, na torradeira e inspecionou a parte de baixo.

– MAIS uma vez tens razão, Beto! – murmurou com o pouco entusiasmo que conseguiu reunir.

– Agora, mãe, vamos passar ao suporte do
papel higiénico. Eu creio que foi fabricado
a partir do metal *alumínio*.

– Novamente correto, Beto!
Que jogo esplêndido, este.
Nunca me canso de o jogar –
mentiu a mãe. Depois, reuniu coragem
para fazer uma pergunta. – Beto, pensei que
talvez quisesses fazer alguma coisa **DIVERTIDA** hoje.

- DIVERTIDA? – observou Beto.

Mãe, que palavra é essa que proferes?

– Bem, sabes... **diversão**.

– Diversão?

– Sim, algo **DIVERTIDO** pode ser qualquer coisa, como...
ir ao jardim zoológico. Ver os orangotangos a brincarem uns com os
outros pode ser muito **divertido** – respondeu a senhora.

– Tenho as minhas dúvidas, mãe – observou friamente o rapaz. –
Esses ditos orangotangos são meros macacos cor de laranja. O que pode
haver de **divertido** nisso?

A mãe suspirou e tentou novamente.

– Então, podíamos ir à feira popular. É sempre engraçado vermo-nos refletidos naqueles espelhos malucos.

– Mãe, porque é que isso haveria de ser… – Beto quase não conseguia dizer a palavra. – **ENGRAÇADO?**

– Bem… – Não era fácil descrever tal coisa a alguém que não tinha absolutamente nenhum sentido de humor. – Bem, vês-te num espelho e és *alto* e *magro*!

O rapaz manteve-se indiferente. – Continua, se fizeres o favor, mãe…

– E depois tu… hmm… – Beto olhou para a mãe, o lábio curvado de desdém.

– Vês-te no espelho seguinte e, surpresa, és *baixo* e *gordo*!

Ha ha ha!

O seu riso parou abruptamente, ao ver Beto a olhá-la com desprezo.

– Mãe, eu não sou alto e magro, nem baixo e gordo. Porque é que a sala dos espelhos não pode simplesmente ser composta por espelhos normais, feitos, é claro, do metal *alumínio*?

– Porque senão os espelhos engraçados não seriam **ENGRAÇADOS**, Beto! – A mulher começava a ficar exasperada.

– Olha, filho, vamos esquecer o jardim zoológico e a feira popular e pensar numa coisa ainda melhor.

– Sim?

– SIM! Soube esta manhã que há um CIRCO na cidade!

O nariz de Beto enrugou-se de desprezo, mas, ainda assim, a mãe continuou.

– Podíamos ir ver os palhaços. Conseguem sempre pôr a plateia inteira a desatar às gargalhadas!

— Esses "palhaços" que referes são garantidamente divertidos, mãe?

— Ah, sim, Beto! Hilariantes! – respondeu rapidamente a mãe. Parecia que finalmente tinha conseguido captar a atenção do filho, agora só tinha de a manter. – Entram na tenda do circo ao volante de um pequeno carro de palhaço e, antes sequer de saírem do carro, as portas caem!

Ha ha ha ha ha!

Beto ficou perdido nos seus pensamentos.

— Mãe, de que tipo de metal é feito o dito carro?

A mãe abanou a cabeça.

— Não sei, filho. Não é isso que interessa.

— É feito do metal *aço*?

— Não sei. E depois, os palhaços que saem do carro têm todos uns grandes baldes de água e…

– Mãe, de que **metal** são feitos os ditos baldes?

– Não **sei!**

– *Zinco?*

– Beto, **por favor,** por amor de Deus! Não interessa de que estúpido metal são feitos os baldes!

Beto lançou um olhar à mãe que poderia matar um **elefante.**

– Não há nada de estúpido acerca dos **metais,** mãe. Desde os meus dois anos que os tenho estudado – continuou Beto, no seu tom monótono. – Considero as suas propriedades **fascinantes.** Sabias, por exemplo, que o símbolo químico para prata é **Ag**, da palavra em latim para prata – *argentum?*

– Sim, sim, sim, tenho a certeza de que isso é **fascinante,** mas...

– Correto, mãe. É, de facto, **fascinante.** Por isso, digo um inequívoco "não" a ditas ofertas de visitas ao dito jardim zoológico, à dita feira popular ou ao dito circo. Agora, se me permites, tenho de voltar para a minha coleção de raladores de **queijo.**

Com isto, o rapaz marchou para fora da cozinha e subiu as escadas para o quarto.

As paredes do quarto de Beto estavam pintadas de **cinzento**.

A cama era **cinzenta**, o edredão era **cinzento**, as cortinas eram **cinzentas**. Às vezes, era difícil encontrar Beto, pois as suas roupas eram também **cinzentas***.

*A cor preferida de Beto era cinzento, porque era a cor da maior parte dos metais. À exceção do ouro, que é dourado, e da prata, que é prateada. Que também é parecido com cinzento. Beto considerava todas as cores que não o cinzento "demasiado coloridas".

Beto passou o resto do dia no quarto, a estudar os seus raladores de **queijo**.

Dissera à mãe para lhe deixar o jantar num tabuleiro, à porta do quarto. Era um prato de ervilhas frias: a única coisa que Beto comia – ao pequeno-almoço, ao almoço e ao jantar. Só comia tijelas ou pratos do vegetal mais aborrecido do mundo.

Na manhã seguinte, a mãe de Beto acordou mais preocupada do que alguma vez estivera. O seu filho tinha 12 anos. Em breve, seria um adolescente. E ela queria desesperadamente que ele experimentasse todas as coisas que as crianças devem experimentar antes que fosse demasiado tarde. *Alegria. Gargalhadas. Diversão. Amigos.*

Ao tirar mais um saco de ervilhas congeladas do congelador para o pequeno-almoço de Beto, a mãe apercebeu-se de que ERAM NECESSÁRIAS MEDIDAS DRÁSTICAS SE ALGUMA VEZ QUISESSE VER O FILHO SORRIR.

Por isso, começou a pesquisar e encontrou o seguinte anúncio num jornal:

DOUTOR TRUÃO

O MAIOR ESPECIALISTA DO MUNDO EM PERTURBAÇÕES DO SENTIDO DE HUMOR.

Ao longo dos anos, o Doutor Truão tratou de um CARRANCUDO membro da REALEZA, de um jogador de ténis extraordinariamente ABORRECIDO e de uma série de PRIMEIROS-MINISTROS que se levavam DEMASIADO A SÉRIO. Se tem um amigo ou um familiar que nunca sorri,

LIGUE AO DOUTOR SEM DEMORA PARA O NÚMERO 0207-946-0000.

A mãe de Beto marcou uma consulta para o dia seguinte.

O gabinete do Doutor Truão situava-se no centésimo andar de um hospital. As paredes estavam repletas de certificados médicos, havia uma vitrina cheia de prémios e o doutor tinha até um retrato gigante de si próprio a óleo atrás da secretária. Era um homem no absoluto APOGEU da sua carreira.

Enquanto Beto ficava sentado na sala de espera, a folhear uma cópia da revista *Colher Mensal*, a mãe contou tudo ao doutor. Falou-lhe acerca da coleção de **aparas de lápis**, da dieta de ervilhas frias e dos álbuns de **fotografias de semáforos** (que agora já iam nos 558 volumes). Depois, contou-lhe que Beto nunca, mas nunca tinha rido ou sequer sorrido.

– Em todos os meus anos na profissão médica, este é o caso mais sério de

PERTURBAÇÃO DE FALTA DE SENTIDO DE HUMOR

que alguma vez vi! – exclamou excitadamente o Doutor Truão. – Se conseguir fazer o seu filho sorrir, vou ser lembrado na história como um dos maiores cientistas de todos os tempos!

Apesar de toda a competência do doutor, a mãe não ficou convencida.

– Mas como irá conseguir, Doutor? Eu já tentei absolutamente tudo!

Com um floreado teatral, o Doutor Truão abriu uma longa cortina.

– Deixe-me apresentá-la à minha última invenção…

O Monstro das Cócegas 3000!

Era um

ROBÔ GIGANTE

Em vez de braços, o robô tinha

longos **tentáculos** de metal.

– Oh, meu Deus! – exclamou a mãe de Beto.

– "Oh, meu Deus" é a expressão correta – concordou o doutor. –
O meu MONSTRO DAS CÓCEGAS fará o seu filho desmanchar-se em
gargalhadas num piscar de olhos. Por favor, vá buscá-lo!

A mãe abriu a porta do gabinete.

– Beto, podes vir aqui agora, por favor?

– Mas, mãe, agora estou a ler um artigo fascinante acerca dos
diferentes tipos de metal usados em colheres de variados tamanhos
e feitios – respondeu Beto, sem tirar os olhos da revista.

– Eu disse AGORA! – replicou a mãe, zangada.

Relutante, o rapaz pousou a revista *Colher Mensal* e marchou para
dentro do gabinete do doutor.

– É um grande prazer conhecer-te, jovem Beto – disse ternamente o
Doutor Truão.

O rapaz ficou de pé, a olhar para o homem, com o habitual ar
amargurado, como se tivesse engolido uma vespa.

– Sei que podes achar impossível,

mas este meu robô vai finalmente

fazer-te rir! – anunciou o doutor.

– De que **metal** é feito o dito robô?

– questionou o rapaz.

– Como? – perguntou o doutor, bastante surpreendido face à irrelevância da pergunta.

– De que **metal** é feito o dito robô? Suponho que seja feito de… – Beto inspecionou a máquina.

– Ele costuma fazer isto… – murmurou a mãe de Beto.

O doutor suspirou e inspecionou a parte de trás do robô.

– ESTANHO!

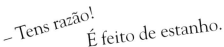

– Tens razão! É feito de estanho.

Bem, agora que estamos todos a par dessa fascinante informação, vou ligar o

MONSTRO DAS CÓCEGAS 3000

em

três,

dois,

um…

Com isto, o doutor ligou um interruptor e a máquina ganhou vida. As luzes ligaram-se e a máquina começou a apitar.

BIP! *BLIP!* BLUP!

A seguir, dois dos tentáculos do robô esticaram-se na direção do rapaz.

Beto tentou fugir, mas as tenazes nas pontas dos tentáculos impediram-no de o fazer.

— Não gosto disto! – queixou-se ele.

— Prometo que não dói, Beto – disse o doutor. Carregou em mais botões e outros dois tentáculos do robô começaram a fazer cócegas ao rapaz.

Os tentáculos fizeram cócegas nos sítios onde geralmente as pessoas têm mais **cócegas**.

Primeiro, debaixo do **pescoço**,

passando para os **pés**

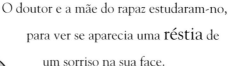

e acabando no sítio

mais **temido** de todos:

a **axila**.

O doutor e a mãe do rapaz estudaram-no,

para ver se aparecia uma **réstia** de

um sorriso na sua face.

Nada.

Nem a mera **sugestão** de

um sorriso.

– Isto é extremamente peculiar. Realmente peculiar. Vou aumentar a intensidade! – declarou o doutor.

No peito do robô havia um mostrador que dizia "INTENSIDADE DAS CÓCEGAS". Quando o doutor lhe mexeu, a seta passou do número TRÊS para o número NOVE.

Depois desse havia o DEZ, e depois disso uma faixa vermelha que indicava "NÍVEL PERIGOSO".

Os tentáculos moviam-se agora muito mais rapidamente. Além disso, percorriam todo o corpo do rapaz, encontrando novos sítios para fazer cócegas.

Nos *joelhos*.   Na *barriga*.   Até nas *orelhas*.

Todos estes locais sentiram a força bruta da invenção do Doutor Truão. Mais uma vez, o doutor e a mãe estudaram o rosto de Beto.

E uma vez mais, nada.

– Mãe, já podemos ir para casa, para eu brincar com a minha coleção de LIMALHAS DE FERRO?

Mas antes que a senhora pudesse responder, o doutor vociferou:

– NÃO!

Gritou tão alto que a mãe saltou.

— Aii! — berrou ela.

Depois, rodando rapidamente o pulso, o doutor girou o botão do robô para o "NÍVEL PERIGOSO".

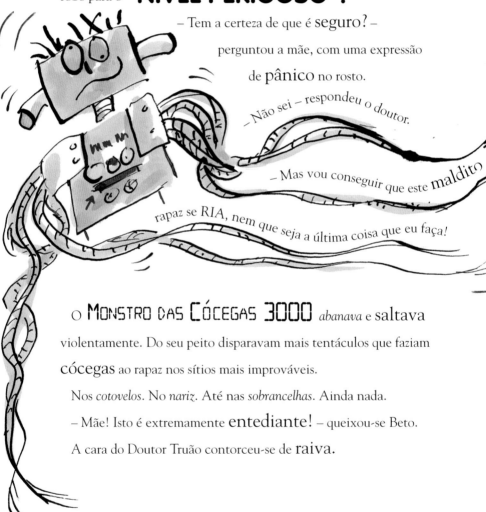

— Tem a certeza de que é seguro? — perguntou a mãe, com uma expressão de pânico no rosto.

— Não sei — respondeu o doutor.

— Mas vou conseguir que este maldito rapaz se RIA, nem que seja a última coisa que eu faça!

O MONSTRO DAS CÓCEGAS 3000 abanava e saltava violentamente. Do seu peito disparavam mais tentáculos que faziam cócegas ao rapaz nos sítios mais improváveis.

Nos *cotovelos*. No *nariz*. Até nas *sobrancelhas*. Ainda nada.

— Mãe! Isto é extremamente entediante! — queixou-se Beto.

A cara do Doutor Truão contorceu-se de raiva.

– **MONSTRO DAS CÓCEGAS 3000** – gritou ele.

– TU ÉS O MEU DERRADEIRO TRABALHO!

A MINHA MAIOR INVENÇÃO!

MAS DEIXASTE-ME FICAR MAL.

Dito isto, tirou o sapato e começou a bater com ele na cabeça do robô.

BLÉM!   BLÉM!   BLÉM!

O robô apitou e silvou.

BLIP! BLUP! CSSS!

Apesar de ser uma máquina, o robô parecia zangado. Deixou de fazer cócegas a Beto e lentamente virou-se para enfrentar o seu dono. Foi então que os seus tentáculos começaram a fazer cócegas ao doutor. Alguns segundos depois, percorriam todo o corpo do homem.

Atrás das suas orelhas.

No seu traseiro.

Nas plantas dos pés.

– Ha ha! NÃO! NÃO! – gritava o Doutor Truão. – Eu detesto que me façam... Ha ha ha ha! CÓCEGAS!

O corpo do homem tremia, de tanto riso.

– Ha ha ha ha ha ha ha ha ha!

No entanto, não era um riso *alegre*. Era um riso de dor. Receber cócegas desta forma era tortura. Especialmente com o MONSTRO DAS CÓCEGAS 3000 programado a TODO O GÁS.

– Ha ha ha ha ha ha! SOCORRO! SOCORRO! POR FAVOR, ALGUÉM... AJUDEM-ME!

A mãe tinha de fazer alguma coisa. Rapidamente.

Em desespero, atirou-se ao botão no peito do robô. Mas o MONSTRO DAS CÓCEGAS 3000 virou também os tentáculos para ela. Pouco depois, a mãe de Beto estava esticada no chão, os braços e pernas a esbracejar, como um escaravelho virado de costas.

– Ha ha ha ha ha!
– berrava ela.

Entretanto, os movimentos do robô começavam a tornar-se bruscos e **imprevisíveis.** Apitava e *silvava* cada vez mais alto.

Em breve, havia **faíscas** a voar dos seus olhos e **fumo** a serpentear da sua cabeça.

Os tentáculos do robô moviam-se tão rapidamente que começavam a ficar **desfocados.**

– **NÃO!** HA HA! **NÃO!** – gritou o Doutor Truão, os tentáculos do robô a fazerem cócegas em todos os sítios possíveis do seu corpo.

– ACHO QUE VOU FAZER **XIXI** NAS CALÇAS!

O doutor começou a **lutar** com o robô e a **morder-lhe** os tentáculos, tentando desesperadamente escapar da sua criação. Mas a máquina tinha-o encostado à parede.

– Ha ha ha ha! NÃO! NÃO! NÃO!

SOLTEI UMA PINGUINHA!

Ha ha ha ha ha!

NÃO AGUENTO

MAIS!

Com isto, o doutor **saltou** da janela. Uma vez que o seu gabinete ficava no **centésimo** andar, enquanto caía ainda teve tempo para gritar

Dentro do gabinete, **Beto Correto** explodiu
num riso descontrolado.

– Ha ha ha ha ^ha^ ha ha ha ha ha ha ha

Corriam lágrimas pelas faces do rapaz, e o seu rosto
ficou rosado de *alegria*.

ha ha ^ha^ ha
ha ha ha
ha ha
ha!

ha ha
ha ha ha
ha
ha

Nesse momento, o MONSTRO DAS CÓCEGAS 3000

finalmente avariou. E morreu. Caiu no chão fazendo um sonoro...

TUMP!

– Beto! Estás a **rir.**

Estás finalmente a rir!

Mas **porquê?** – exigiu saber a mãe, em choque.

– Porque ISSO teve piada! – respondeu Beto.

Como podes ver, afinal de contas Beto **não** era assim tão sério. Ele **conseguia** sorrir e até rir, mas, infelizmente, só perante a DESGRAÇA dos outros.

A pobre mãe do rapaz nunca, mas nunca mais, tentou fazer o seu filho rir.

Quando Beto cresceu, encontrou o emprego perfeito. Tornou-se **professor de Ciências**. Trabalhou na mesma escola durante 40 anos e **nenhum** dos professores ou alunos alguma vez o viu rir. Aborrecia tudo e todos com a sua seriedade **entorpecedora**.

Até que, certo dia, uma experiência na sua aula correu extremamente mal e houve uma enorme **explosão**.

PUM!

Voaram chamas por todo o lado e o **rabo** do assistente de laboratório de Beto começou a arder. Todos os alunos olharam, em choque, ao ver o professor a **desmanchar-se** em gargalhadas.

– Ha ha ha ha! – ria-se Beto, apontando para o assistente com o rabo **chamuscado.**

De facto, Beto **riu-se** com tanta força que soltou umas pinguinhas de XIXI. O xixi escorreu pela perna dele abaixo e formou uma **poça** no chão da sala de aula.

E foi nesse momento que toda a turma se riu dele.
De repente, **Beto Correto** já não
achava graça nenhuma.

SOFIA
Sofá

A ÚNICA COISA DE QUE SOFIA GOSTAVA era de ficar o dia todo sentada no sofá a ver televisão. **Sofia Sofá** era, sem dúvida, uma das piores crianças do mundo.

Nunca ia à escola, nem ajudava a mãe com as tarefas em casa, nem sequer se levantava para jantar à mesa. Tudo o que fazia era ficar sentada a ver TV.

Não interessava o que estava a dar: telenovelas, CONCURSOS, séries de detetives, *programas sobre jardinagem*, **concursos de talentos**, *desenhos animados*, PROGRAMAS POLÍTICOS, até programas sobre **tralhas** aborrecidas que os apresentadores fingiam ser ANTIGUIDADES de valor inestimável. Desde que o ecrã brilhasse, Sofia ficava colada nele. O que ela preferia eram os anúncios. Às vezes, achava que os programas interferiam com os anúncios.

Sofia costumava ficar curvada no sofá em frente da TV durante todo o dia e toda a noite, devorando programas enquanto comia.

Batatas fritas,
bolachas,
bolos,
gomas e
chocolates

eram a sua comida preferida
para devorar enquanto via TV.
Se desse um anúncio de batatas fritas,
bolachas, bolos, gomas ou chocolates,
Sofia gritava para a mãe lhe levar mais.

– M-Ã-Ã-Ã-Ã-E-E-E-E-E! – costumava gritar.

– CHOCOLATE! AGORA!

A pobre mãe da menina (era pobre porque tinha de gastar o dinheiro todo nas quantidades colossais de comida para a filha) tinha de sair de casa a correr até à loja para comprar a tablete de chocolate.

Contudo, quando chegava a casa, Sofia já tinha visto outro anúncio para uma coisa diferente que queria devorar e mandava a mãe sair novamente para a comprar.

– M-Ã-Ã-Ã-Ã-E-E-E-E-E!
BOLO!

Ver TV e comer. Comer e ver TV. Isto era tudo o que Sofia fazia. Os seus olhos tinham-se tornado quadrados de olhar para a TV o dia todo. O único exercício físico de Sofia consistia em mudar de canal, mas como tinha um comando, a única coisa que precisava de fazer era carregar num botão. Ainda assim, às vezes o dedo ficava cansado e tinha de gritar à mãe:

– M-Ã-Ã-Ã-Ã-E-E-E-E-E! CANAL TRÊS.
AGORA!

Não deverá ser uma surpresa se te disser que um dia a mãe de Sofia fartou-se.

– Está na altura de **deixares** de ver televisão e **levantares-te** desse sofá de uma vez por todas, minha menina! – ordenou a mãe.

– Nã, Mã – murmurou Sofia, sem tirar os olhos da televisão. – Tenho só de descobrir o que acontece no final deste programa.

– O que queres dizer com isso, Sofia? O final do **episódio?** – perguntou a mãe.

– Nã, o final da **série** – respondeu **Sofia Sofá**.

– Não HÁ final! Tu estás a ver uma telenovela! Isso NUNCA mais acaba! Anda lá, minha menina! **DE PÉ!**

Dito isto, a mãe pôs as mãos debaixo dos braços da filha e tentou levantá-la.

– Três, dois, um… OUPA!

Por fim, conseguiu, mas o sofá veio **colado** a Sofia.

A menina estava lá sentada há tanto tempo que tinha ficado completamente entalada! De facto, Sofia e o sofá tinham-se **fundido** e não havia forma de perceber onde um **acabava** e o outro **começava**.

Sofia tinha-se tornado…

... meio menina,

meio sofá.

Não que ela se **importasse**. Aliás, **continuou** a olhar para a TV durante todo o processo.

Quando o pai de Sofia voltou do trabalho, a mãe pediu-lhe ajuda. Juntos tentaram **arrancar** a filha do sofá.

O pai pôs o pé num dos braços do sofá para ganhar ímpeto, e pediu à mulher para fazer o mesmo.

– Três, dois, um…

PUXA!

Mas a menina simplesmente não saía.

Por isso, os pais de Sofia chamaram os vizinhos para irem ajudar. O plano era criarem uma *corrente humana*. A força conjunta de cem pessoas conseguiria certamente separar Sofia do sofá.

Algumas pessoas amontoaram-se na sala, enquanto muitas outras fizeram fila na rua.

– SAIAM DA FRENTE DA **TV!** – gritou Sofia.

O pai estava no início da fila, com os braços à volta da filha. A mãe agarrou-se a ele. A vizinha Indira agarrou-se à mãe… e por aí fora.

Os braços uniram-se em elo e a corrente humana esticou-se ao longo da rua.

– Três, dois, um…

PUXEM!

– gritou o pai.

Mas, ainda **assim**, a menina não se mexia um **centímetro**. O pai de Sofia caiu para trás e os vizinhos tombaram uns em cima dos outros, como peças de dominó, e acabaram amontoados numa grande pilha, alguns deles em frente de Sofia.

– CONTINUAM A TAPAR A **TV!** – queixou-se ela.

Não havia mais nada a fazer. O pai decidiu ligar para os **SERVIÇOS DE EMERGÊNCIA**.

– *De que serviço necessita?* – perguntou o operador. – *POLÍCIA, BOMBEIROS OU AMBULÂNCIA?*

– Não tenho a certeza – começou por dizer o pai, enquanto a mãe observava, ansiosa. – É que, sabe, a minha filha não **sai do sofá**.

– *Mas em que sentido? Porque gosta muito de lá estar sentada?*

– Não, no sentido em que está lá colada – respondeu o pai de Sofia.

– *Oh, não. Essa não é comum* – respondeu o operador. – *No outro dia tivemos um homem cujo TRASEIRO ficou PRESO num balde, e uma senhora cuja CABEÇA ficou ENTALADA num melão, mas nunca tivemos alguém COLADO a um SOFÁ. POSSO MANDAR OS BOMBEIROS PARA A CORTAREM DO SOFÁ.*

– Parece-me um pouco **drástico** – disse o pai.

– FAÇAM POUCO BARULHO!
ESTOU A VER TV!
– gritou Sofia.

– *O que foi isso?* – perguntou o operador.

– Nada – sussurrou o pai. – Era só a minha querida filha, a que é metade menina, metade sofá.

– *Ah.* – O operador pensou por uns momentos. – *Posso mandar a polícia para prender alguém.*

– Quem? – perguntou o pai.

– *O sofá?*

O pai de Sofia considerou a opção.

– Não... O sofá não fez nada de mal e nós até gostamos dele.

A mãe acenou a cabeça, concordando.

– *E que tal uma ambulância? Podem levar a vossa filha para o hospital e talvez um cirurgião consiga operá-la de forma a separá-la do sofá?*

– Sim, sim, é uma ótima ideia – respondeu o pai. – Por favor, mande imediatamente uma ambulância! Obrigado.

TINONI TINONI TINONI!

A ambulância chegou em minutos.

Mas havia um problema.

Uma vez que **Sofia Sofá** era metade *menina*, metade *sofá*, estava demasiado grande para sair pela porta da frente.

Por isso, a condutora da ambulância pediu uma grua com uma bola de demolição para ajudar.

Menos de uma hora depois, a grua gigante balançou a pesada bola de demolição contra a frente da moradia de Sofia.

PRÁS!

A parede ficou feita em bocadinhos e uma nuvem de pó envolveu as pessoas na rua. Ainda assim, Sofia continuava a ver a sua adorada televisão.

– TIREM-ME JÁ ESSE PÓ DA FRENTE! NÃO CONSIGO VER A TV! – gritou ela.

Quando o pó assentou, a condutora da ambulância apercebeu-se de que havia outro problema. A meio *menina*, meio *sofá* era demasiado pesada para ser levantada. Por isso, a bola de demolição foi tirada da corrente da grua e a corrente foi ligada ao fundo do sofá.

Com o puxar de uma alavanca…

SUICH!

… a *meio* menina,

meio sofá

foi levantada

no ar.

Quando Sofia deixou de conseguir ver a sua adorada televisão,

começou a fazer uma **barulheira** tremenda.

– TV! TV! TV!

– protestava ela.

O operário da grua entrou em pânico e puxou a alavanca errada, mandando a sua carga pelo ar, acabando por se esmagar contra uma fila de casas do outro lado da rua.

PRÁS!

As casas desmoronaram-se numa explosão de detritos e pó.

PUM!

Pouco sobrou da rua de moradias geminadas.

Não que Sofia se importasse com isso – ela só queria ver televisão.

Quando o barulho de tijolos a cair e os gritos de mirones inocentes amainaram, tudo o que se ouvia era a menina a entoar aos berros:

_TV! TV! TV! TV! TV! TV!

O mais rápido que conseguiu, a condutora da ambulância abriu as portas de trás do veículo. O operário da grua tentou balançar a meio *menina*, meio *sofá* para dentro da ambulância. Depois de cerca de 500 tentativas, tornou-se óbvio de que não iria caber. Por isso, a condutora da ambulância teve uma ideia. Usando uma corda, uniu a meio *menina*, meio *sofá* à traseira da ambulância, de forma a poder arrastá-la até ao hospital.

_TV! TV! TV! TV! TV! TV! TV! TV! TV!

– entoava **Sofia Sofá**.

Por esta altura, a condutora desesperava para que aquele barulho torturante parasse. Estava disposta a tentar tudo.

Assim, ligou a televisão à parte de trás da ambulância.

A TV ligou-se novamente em frente de Sofia. Tinha sido o maior período de tempo que ela estivera sem ver TV. A televisão permanecera desligada durante um **minuto** inteiro, e Sofia ficou extasiada por ela estar outra vez a funcionar.

A condutora da ambulância guiou o mais devagar que conseguiu e com o maior cuidado possível. Os pais da menina sentaram-se à frente e a menina e a televisão seguiram **atrás.**

A **meio** *menina*, **meio** *sofá* parecia bastante feliz, enquanto era arrastada na direção do hospital. Afinal de contas, podia ver **TV** durante toda a viagem.

Tudo corria bem até que...

A ambulância fez uma curva apertada…

CHIIIIII!

… e tanto a corda como o fio da

TV partiram.

TÓIM!

Sem se aperceber de nada, a condutora da ambulância continuou viagem, mas a televisão e a meio *menina*, meio *sofá* voaram à solta pela rua fora.

ZUM!

Mas como a televisão já não estava ligada à corrente, o ecrã ficou negro.

Sofia começou a berrar selvaticamente.

—TV! TV! TV! TV! TV! TV!

Por sorte, naquele preciso momento...

A meio *menina*, meio *sofá* espatifou-se contra a montra de uma loja de televisões.

PRÁS!

Sofia Sofá voou pelo ar e aterrou...

... dentro de um ecrã de **televisão** gigante.

E ficou instantaneamente **fundida** com a televisão.

Agora, **Sofia Sofá-Televisão** era um terço *menina*, um terço *sofá* e um terço *televisão*.

O que é exatamente aquilo que te pode

acontecer se vires demasiada TV.

FIM

UMA CARTA OFICIAL · UMA CARTA OFICIAL

Da Secretária De

David Walliams

Caro leitor,

Infelizmente, as histórias chegaram ao fim. Espero que tenhas gostado de as ler. Estas são realmente as crianças mais horríveis que alguma vez existiram.

Mas, ao falar com os teus pais e professores, apercebi-me de que me esqueci de incluir aquela que considero verdadeiramente a pior criança do mundo: Tu!

Não te preocupes, porque vou resolver o problema, incluindo-te no meu próximo livro.

AS PIORES CRIANÇAS DO MUNDO
– VOLUME DOIS!

David Walliams